Vampiers willen rode lopers

2256

Van dezelfde auteur

Stuart Kaminsky

Vampiers willen rode lopers

Zwarte Beertjes

Oorspronkelijke titel
Never cross a vampire
©1980 by Stuart M. Kaminsky
Vertaling
Antoinette Renswoude
© 1986 Bruna Pockethuis b.v. Utrecht
Basisontwerp omslag
A. van Velsen
Fotografie
Archief Stichting Nederlands Filmmuseum
Druk
Tulp, Zwolle
ISBN 90 449 2256 4
D/1986/0939/238
UGI 420

Zwarte Beertjes

worden in de handel gebracht door:
A.W. Bruna & Zoons Uitgeversmij. b.v.,
Postbus 8411, 3503 RK Utrecht
en
A.W. Bruna en Zoon n.v.,
Antwerpsesteenweg 29A, 2630 Aartselaar

Voor de Rashkows:
Sara, Steve, Sheri, Doug en Dean.

'O, lieveling, als je eens wist door welk een bizarre zaak ik hier naar toe gedreven ben, dan zou je lachen. Ik heb geleerd om niet min te doen over andermans opvattingen, hoe vreemd ook. Altijd heb ik geprobeerd voor alles open te staan; en het zijn niet de alledaagse zaken die mij weerhouden, maar het vreemde, het uitzonderlijke, datgene waardoor men aan zijn verstand gaat twijfelen.'

Dr. Van Helsing in Bram Stokers *Dracula*

I

Een gezette vampier met bevlekte cape dronk, gezeten op een doodskist tegenover mij, uit een flesje Hires wortelbier door een slaphangend rietje. Zijn losse vampiertanden gleden telkens weg en bij elke teug klonk er een geluid dat het midden hield tussen een astmatisch gefluit en terminale longontsteking. Hij was ontegenzeglijk fascinerend, maar dat gold evenzeer voor die vier andere vampiers in zwarte capes die mijn cliënt in dat bedompte souterrain omringden. Mijn cliënt, voorzien van een ouderwets grijs kostuum en een weinig inschikkelijke, vastgeroeste glimlach, gebruikte zijn sigaar om de vampiers op afstand te houden, maar zo gemakkelijk gaven ze het niet op en zeker niet een vrouw met doodsbleek gelaat en lang, ravezwart haar in het midden gescheiden.

'Vertel eens, meneer Lugosi,' hijgde ze. 'Wanneer gaat u weer een vampier spelen?'

Lugosi haalde zijn kolossale schouders op en bediende hiermee uitbundig zijn aandachtig gehoor. Hij liep tegen de zestig en elk jaar was hem goed aan te zien, op het meedogenloze af. Hij had een opgeblazen, bleek gezicht en zijn glimlach was een brede V. Hij wilde hier eigenlijk niet zijn, maar omdat hij er nu eenmaal was, kon hij de verleiding niet weerstaan om te showen.

'Loe-go-sjie,' verbeterde hij de vrouw. 'Be-la Loe-go-sjie, maar liefje, dat is van geen enkel belang. En wat die vraag betreft of ik ooit weer een vampier zal spelen, wel, vrienden,' en dat 'wel' kwam er uit als 'vel', waardoor zijn vermaarde accent als goelasj over zijn woorden hing. Hij had voor zijn laatste twee woorden meer tijd nodig dan een dokter voor het slechte nieuws.

'Een mens moet nu eenmaal leven,' vervolgde hij met geloken ogen alsof de last om de kruidenier en de melkman te betalen hem tot een artistiek compromis hadden gedwongen. 'Seer, seer graag zou ik weder een Dracula doen, aber...' en hij wees naar het gebarsten plafond een meter boven zijn hoofd, 'maar om het goed te doen... ach vrienden, ik weet nu soviel mehr als vroeger.'

'Maak het een beetje,' zei een kleine Chinese vampier met verontrustend gebrek aan accent en gevoel, 'het enige wat u de afgelopen vijf jaar hebt gespeeld waren krankzinnige dokters die in de laatste spoel aan stukken werden gescheurd.'

'Sterven,' zei Lugosi hoofdschuddend, 'is voor mij een vorm van in leven blijven.'

Dat was een dijenkletser die hij ongetwijfeld eerder had gebruikt, maar deze groep kon er niet eens om glimlachen. Lugosi wierp heimelijk een blik vol ergernis naar mij. Ze vielen niet voor zijn beste zinnen en hij wilde dat ik hem redde, maar ik was nog niet van plan weg te gaan. Ik slurpte Pepsi uit mijn fles, ging verzitten op mijn doodskist en pakte een handvol zoutjes.

Wij bevonden ons in het duistere hol van de Zwarte Ridders van Transsylvanië, niet ver van een blokhutachtige bioscoop in Los Angeles in de maand januari van het jaar 1942. Zowel het theater als de buurt rotte weg rond dit kwintet van vijf in het zwart gehulde dromers die kwijlden bij de herinnering aan een film van tien jaar oud, vertwijfeld bezig met een duister fantasietje van boosaardige onsterfelijkheid, terwijl het levende bewijs van de voosheid van die fantasie voor hen stond in de verlopen gedaante van een uitgespeelde Hongaarse acteur die betere dagen en betere sigaren had gekend.

Als ze zich de moeite hadden getroost naar mij te kijken, wat ze niet op konden brengen, zouden de Zwarte Ridders van Transsylvanië nog meer bewijzen hebben gezien van de sterfelijkheid van het menselijk lichaam. Aan de bijna vijfenveertig jaren van besluiteloosheid over mijn toekomst had ik een hopeloos platte neus overgehouden plus een gezicht dat te aardig voor een serie stompen was geweest, alsmede twee littekens van kogels (drie als je de uitgangswond van een daarvan zou meetellen) en een groot, hoewel te tellen assortiment van kwetsuren veroorzaakt door kolven, gebroken flessen, diverse soorten stokken, een ongeopende kruik met shampoo en wereldser wapens als messen en boksbeugels. Mijn hersenen zijn nauwelijks beschermd door weefsels van littekens en mijn rug knalt er vaker uit dan champagnekurken op oudejaarsavond. Dat soort zaken moet min of meer zichtbaar zijn voor het scherpe oog van zelfs een aankomend vampier. Wat niet te zien was, was het feit dat ik een privé-detective was met niets op de bank behalve de kleur rood, niets in de wereld op een dubieuze reputatie na, en niets aan mijn kop behalve slechte herinneringen.

Ik was een mislukkeling gebleken als smeris in Glendale en als veiligheidsbeambte bij Warner Bros. En ik bezat nog vijfentwintig ballen plus huurschuld en dat was het dan wel. Dat was het resultaat van een stuk of vijf, zes jaar als privé-detective. Kijk maar eens goed, vampiers. Er bestaan nog lichamen waar je geen bloed meer uit kunt trekken.

In de orgie van crackers, wortelbier en Pepsi probeerde ik het werk te doen waar Lugosi me voor ingehuurd had. Iemand speelde al een maand een spelletje met hem. Hij kreeg via de post in dierenbloed geschreven boodschappen waarin zinnen te lezen stonden als 'Wie de vampier bespot verdient zijn lot,' 'Respecteer waar je voor staat of anders zul je boeten,' en mijn onvergetelijke favoriet 'Stijl of sterf.'

Het was een oud liedje in Los Angeles. Filmmensen kregen vaak te maken met een fan die ze liever kwijt dan rijk waren. Zo had Cecil B. de Mille eens van doen met een vent die zomaar zijn eetkamer insprong met een kreet die de schildpadsoep deed schiften. De politie sloot hem op, maar hij ontsnapte en kwam op gezette tijden als een waarlijk toornige criticus terug.

Wat bij Lugosi de deur had dichtgedaan was een hoededoos die bij hem thuis bezorgd was. In die doos zat een snoezig vleermuisje met een kleine staak door zijn hart.

Aanvankelijk beschouwde Lugosi dit als een grap van een zieke geest. Dat soort stunts had hij zelf zo vaak toegepast en het was niet de eerste keer dat hij er het slachtoffer van geworden was. Maar bij een borrel had Lugosi dit verhaal aan een mede-Hongaar verteld. En deze, figurant bij Universal, had de hele zaak weer aan Boris Karloff doorverteld. Karloff had toen mij gebeld. Hij maakte zich zorgen over Lugosi. De wereld was uit elkaar gespat. De Japanners hadden net Pearl Harbor overvallen. De Duitsers marcheerden door Rusland en iedereen deed het in zijn broek van de zenuwen. Geen mens zou zich sappel maken over Lugosi. Nu de wereld achter je vensterraam wegsmolt en de voorpagina de ene monsterlijkheid na de andere bracht, was er geen belangstelling meer voor de griezelfilm. Lugosi was volgens Karloff bijna aan lager wal geraakt. Hij was zijn auto kwijt en het grootste deel van zijn waardigheid. Hij was nu bezig aan een bescheiden comeback, maar zijn lichaam en zenuwen hadden het zwaar te verduren gehad.

'Ik ben bang, meneer Peters,' had Karloff met diepe stem door de telefoon gelispeld. 'Bela is jaloers op wat hij ziet als mijn grote succes. Ik verzeker u dat mijn succes maar betrekkelijk is, maar ik schijn me beter aangepast te hebben aan het onvermijdelijke leven in een kwaad waarin ik bij uitstek geschikt lijk te zijn. Ik vind het eigenlijk best om alsmaar dezelfde rollen te krijgen, want dan heb ik tenminste een vast inkomen. Zou het mogelijk zijn dat u Bela eens opzoekt, zonder mijn naam te noemen?'

Ik had geen enkele cliënt en mijn maag schreeuwde om taco's met af en toe een biertje en ik vertelde hem dat ik wel even langs zou gaan. Dat even gebeurde de volgende middag. Ik belde Lugosi op en maakte een afspraak, waarbij ik me maar vaag uitliet over het doel van mijn bezoek. Lugosi bewoonde een klein huisje, slechts één verdieping hoog. Hij had een grasveldje en probeerde met een vierjarige buurman ringen om een paal te werpen.

'Ik heet Peters,' had ik hem verteld. 'Toby Peters. Ik ben privé-detective.'

'En u leurt met uw diensten aan de deur of door de telefoon?' vroeg hij met opgetrokken wenkbrauwen.

'Ik heb vernomen dat u in moeilijkheden bent. Iemand heeft geintjes met u uitgehaald die niet zo leuk zijn.'

'Ik verstop me en dan moet jij me zoeken,' stelde de jongen voor.

'Nee,' gromde Bela en hij bracht de mouw van zijn grijze wollen trui als een vampierscape naar zijn gelaat, maar het manneke was niet erg onder de indruk.

'Claire kon me niet vinden,' zei de jongen.

'Niet nu,' zei Lugosi zogenaamd dreigend.

'Ik pak lekker een paar koekjes,' antwoordde de jongen en hij rende het huis van Bela's buurman in.

'Misschien kan een mens beter elders emplooi gaan zoeken als hij niet eens gevoelige kinderen bang kan maken,' zei Lugosi met een bleke glimlach.

Ik bracht vervolgens mijn verkoperspraatje, zoiets als je kunt verwachten van de ontsmettingsdienst die je vertelt dat je de volgende middag tot aan je kont in de kakkerlakken zult zitten, tenzij je ze nu huurt. Ik vertelde hem over al die knettergekke figuren die ik had meegemaakt en wat ik allemaal had doorstaan. Ik gaf hem mijn referenties en mijn laagste tarief, vijftien dollar per dag plus onkosten. Ik vertelde hem van alles, behalve dat ik niet eens de benzine naar huis kon betalen als hij me niet in dienst nam.

'Meneer Peters,' had hij gezegd terwijl hij een sigaar uit een zak van zijn trui viste, 'de wereld is in staat van oorlog en ik ben geen welvarend man. Aan die oorlog komt wel een einde en die gek die mij dooie vleermuizen stuurt zal daar vroeg of laat toch de balen van krijgen. En dan gaat hij iets anders doen, bijvoorbeeld katten martelen.'

'Wie heeft die hoededoos met die vleermuis opengemaakt?' viste ik.

'Ik,' zei hij en stak zijn sigaar aan. 'Maar ik zie wel waarmee u bezig bent.' Zijn glimlach werd breder toen hij de sigaar aan kreeg. Hij blies een smerige wolk de lucht in. 'U probeert me bang te maken. Maar dat is mijn pakkie-an, mensen de stuipen op het lijf jagen. Die gozer met de vleermuis en u zouden heel wat meer succes hebben als u mij zou huren.'

'Hebt u het de politie verteld?'

'Die zou toch denken dat het een publiciteitsstunt was.'

Ik knikte begrijpend. Ik was er nu zeker van dat Lugosi met mij in zee wilde gaan. Hij had al tijd in mij geïnvesteerd door

13

met me te praten en hij had nog steeds geen smoesje verzonnen om naar binnen te gaan. Hij kon nog 'nee' zeggen, maar 'wie weet?' lag in het verschiet en 'ja' volgde op een handbreedte.

Ik drukte door, want ik had het geld nodig. De paar honderd dollar die ik had verdiend met een klus voor Howard Hughes waren opgegaan aan hoognodige, bescheiden reparaties aan mijn Buick uit 1934 en aan mijn schoonzus Ruth. De Buick moest nodig bijgespoten worden. Die was donkergroen (geweest), maar dat groen had al te veel geleden toen ik enkele plekken had bijgestreken met een muurverf van vijf tinten lichter. En nu zag de auto er als een beschimmeld duiveëi uit. Kinderen wezen hem na op straat en je kon er onmogelijk iemand mee achtervolgen, want een blinde kon hem al op een kilometer zien aankomen. Het geld voor Ruth moest geheim blijven voor mijn broer Phil, een politieman in Los Angeles, die het nooit zou aannemen, ondanks zijn hypotheek, drie kinderen en een salaris waarmee een zwerver nog niet een bed in het Labre-huis kon betalen. Als Phil achter dat geld zou komen, zou hij vermoedelijk zijn dankbaarheid uiten door me aan stukken te scheuren en door zijn onbetaalde schoorsteen naar boven te frotten, zoiets als Lugosi's aap had gedaan met die oude dame in *Murders in the Rue Morgue*.

Nadat ik nog tien minuten had doorgekletst en Lugosi langzamerhand San Fernando Valley had vergiftigd met zijn sigaar, stapt het ventje hiernaast naar buiten met de mededeling dat hij op Lugosi's hoofd ging zitten.

'Meneer Peters,' zei Lugosi. Hij klemde de sigaar tussen zijn tanden en zakte op een knie om het ventje een opstap te geven, 'u bent gehuurd voor een week.'

Het kereltje was op Lugosi's rug geklommen en ik stak een hand uit om Lugosi te helpen. Hijgend kwam deze overeind en hij sprak om zijn sigaar heen.

'Voel eens in mijn achterzak,' zei hij. 'Haal daar een voorschot van dertig dollar uit.'

Dat deed ik, waarna ik de portefeuille terugstopte.

'Bel me morgen op,' zei hij en draaide zich om met de jongen nog steeds aan zijn rug gekleefd.

'Heb je kauwgum?' vroeg de jongen toen ik me omdraaide.

'Wie weet?' zei Lugosi met zijn zware, Hongaarse accent, een antwoord dat nu gemakkelijk in 'ja' ging veranderen, zo wisten het ventje en ik buiten twijfel.

De volgende dag zat ik aan mijn bureau en luisterde naar de boor van de tandarts in de kamer ernaast. Ik probeerde te bedenken waar en hoe ik zou beginnen en wat ik als lunch zou eten, toen Lugosi belde met de boodschap dat hij een nieuwe bloedbrief had gekregen. Hierin stond het volgende: 'Ga niet naar de bijeenkomst van de Zwarte Ridders van Transsylvanië, anders ben je de volgende.'

Afgezien van de luizige tekst, had ik nu tenminste iets om me aan vast te klampen. Lugosi vertelde dat hij met dezelfde post een uitnodiging had gekregen waarin zijn aanwezigheid gevraagd werd voor een 'sabbatviering' van de Zwarte Ridders, morgenavond. De uitnodiging was geschreven op een wit kaartje met een zwarte vleermuis bovenaan.

'Wat nu?' zei hij.

'We gaan samen naar die sabbat en ik probeer erachter te komen welke Zwarte Ridder u die brief heeft gestuurd.'

En zo kwam het dat ik op een doodskist zat in een poging een conversatie te beluisteren die zich op drie meter van me af-speelde, terwijl een gezette vampier in mijn gezicht boerde en slurpte en rochelde.

'Waarom doe je die vampiertanden niet uit?' stelde ik voor.

De vampier hield op met zuigen en bracht een vinger van zijn rechterhand naar zijn mond om te voorkomen dat zijn tanden eruit zouden vallen.

'Ik zou er niet als een vampier uitzien als ik geen vampier-tanden had,' zei hij op redelijke toon.

'Precies,' zei ik zonder eraan toe te voegen dat hij hooguit op mijn ome Anton leek als die een vampier probeerde na te doen.

'Maar ik kan niet goed eten met die tanden,' bekende hij en hij leunde naar voren.

'Ik ken een tandarts die u misschien kan helpen,' zei ik. 'Hij heet Shelly Minck. We delen een kantoorverdieping in het

Farraday-gebouw op de hoek van Hoover en Ninth.'
Ome Anton liet weten dat hij dat geen gek idee vond en hij
onderstreepte zijn goede bedoelingen door onder zijn cape
naar een potlood te tasten om het adres op te schrijven.
Shelly zou dit geweldig vinden. Hoeveel tandartsen konden
beweren een vampier verholpen te hebben van een overbeet?
'Ik ben graaf Sforzni,' zei ome Anton en nu bracht hij zijn
linkerhand naar zijn mond zodat hij met zijn ballonnehand-
je de mijne kon schudden. 'We hebben elkaar nog niet ontmoet, want toen u binnenkwam was ik boven bezig met het
klaarmaken van de verversingen.'
Hij knikte naar de verversingen aan het einde van zijn
doodskist. Daar lag een bordje zoutjes, een kruik water, een
paar flesjes lauw sodawater en een kannetje goedkope wijn.
'We houden het doorgaans zeer bescheiden,' lichtte hij toe.
'De meeste Ridders willen tijdens een bijeenkomst niet eten
of drinken. Vampiers zijn puristen.'
'Ik ben Peters. Heet u echt graaf Sforzni?'
'Om eerlijk te zijn,' zei hij met klepperende tanden om boven het geroezemoes uit te komen, 'ben ik alleen hier graaf
Sforzni. Dat is een eretitel, begrijpt u. Boven in de zaak heet
ik Sam Billings. Dit hier is mijn theater.' Hij liet zijn ogen
naar boven drijven teneinde aan te geven wat hij bedoelde.
Hoewel de lampen in het theater al uit waren geweest toen
wij binnenkwamen, had ik nog net de posters kunnen zien
van de driedubbele attractie: *Host to a Ghost*, *Revolt of the
Zombies* en *Murder in the Red Barn*.
'Aardig theater,' zei ik en ging verzitten op de harde doodskist. Ik voelde of er een splinter in mijn achterste was ge-
drongen en probeerde wat meer op te vangen van het gesprek rond Lugosi.
'Ze zijn echt,' fluisterde Billings-Sforzni in datgene wat ik
voor trots versleet.
'De tanden?' fluisterde ik terug.
'Nee,' zei hij, wijzend naar mijn achterste. 'De doodskisten.
Ik heb ze gekocht bij een groothandelaar in begrafenisarti-
kelen. Ik las er iets over in het vakblad van de begrafenis-

branche. Het was een koopje. Ik kon ze niet laten liggen. Prima voor de atmosfeer.'

De atmosfeer van dit souterrain kon omschreven worden als de opslagruimte van een begrafenisonderneming waarin her en der wat restanten van een theater. Behalve drie doodskisten was er nog een tafeltje met een zwart kleed en zes brandende kaarsen. Drie muren waren grijs en kaal op een paar filmposters na zoals *Dracula*, *White Zombie* en *The Black Cat*, die gaten bedekten en eruitzagen alsof ze door een dronkelap waren opgehangen. De vierde muur, waar Lugosi met zijn rug tegenaan stond, was bedekt met zware, bloedrode en uitermate versleten fluwelen gordijnen.

'Leuke tent,' vertelde ik Billings, wiens kale schedel dubbel rood was; verlegenheid, de hitte in dit griezelige licht of misschien omdat de atmosfeer langzamerhand vergeven werd van de nevels uit Lugosi's sigaar.

Lugosi ving mijn blik op. Hij glimlachte van oor tot oor en knikte naar de deur op een wijze die zelfs het monster van Frankenstein duidelijk zou maken dat hij er vandoor wilde.

'Hoeveel Zwarte Ridders heeft de vereniging?' vroeg ik zo argeloos mogelijk, en bijster argeloos was dit niet, gezien het feit dat ik eruitzag als die gangster achter Edward G. Robinson, u weet wel: dat type dat nooit iets zegt, dat er als een voormalig weltergewicht uitziet en om de zoveel minuten zijn kin naar voren steekt om te laten zien dat hij zijn boterham verdient.

'Wij zijn een geheime, uiterst exclusieve vereniging,' zei Billings, die een handvol crackers nam om zich een houding te geven.

'U bedoelt dat u maar met zijn vijven bent?' zei ik met een vriendschappelijke glimlach.

Hij knauwde een paar crackers stuk en knikte ten teken dat ik het goed had geraden.

Een van de vier vampiers rond Lugosi wierp een blik op mij. Hij was lang en donker en zag er duidelijk uit als het meest formidabele lid van het gezelschap. Ik keek terug met onschuldige bruine ogen en mijn mond vol lauwe Pepsi en hij keerde zich langzaam van me af.

'Wilt u soms lid worden?' vroeg Billings begerig.
'Ik weet het niet.' Ik ging anders zitten op de kist om bij de laatste crackers te kunnen komen. Aan Billings' hand kon ik zien dat die met mij een race wilde aangaan voor de laatste kruimels, maar hoffelijkheid en de mogelijkheid van nieuw bloed weerhielden hem hiervan.
'Zijn deze mensen hier de enigen die van de bijeenkomsten weten?'
Billings zette zijn lege blikje fris neer, onderdrukte een boertje en zei: 'Wij zijn geheim en exclusief.'
Ik wendde mijn hoofd naar het groepje vampiers en naar Lugosi, wiens ogen dwaalden van zijn beulen naar de deur.
'Kunt u me zeggen wie iedereen hier is?' vroeg ik, terwijl ik ongedwongen om me heen keek en probeerde niet in mijn cracker te stikken.
'Zeker,' zei Billings. 'Dat is barones Zendelia, dat is sir Malcolm.'
'Neè,' hield ik aan. 'Hun echte namen.'
'Nee,' reageerde Billings en hij ging rechtop staan in zijn volle één meter tweeënzestig. 'Dat is persoonlijk. Onze menselijke identiteiten dienen geheim te blijven.'
'En hoe stuurt u dan de post naar hen?' viste ik. Maar Billings had andere zaken aan zijn kop.
'Die eh… kisten zitten toch wel een beetje hard. Ik heb gedacht er kussens op te doen, maar dat kan zo kitscherig overkomen.'
'Wat denkt u van rood fluweel?' stelde ik voor.
'Zou kunnen,' zuchtte Billings niet bijster overtuigd. Hij keek naar de lege crackerschaal.
Lugosi probeerde nu duidelijk door de ring van lichamen te breken en even overwoog ik de meest verdachte van de groep te volgen, maar ik liet het maar zo. Ik had toch geen kans, het was al laat en ik had te weinig benzine. Lugosi wrong zich los en liep op me af. Ik ging staan en Billings volgde mijn voorbeeld, waarbij hij bijna weer terug op de doodskist viel.
'Wiens idee is het geweest om vanavond meneer Lugosi uit te nodigen?' vroeg ik Billings zo hard dat de anderen het

konden verstaan. Ik probeerde er iets van te maken als het begin van 'bedankt-voor-de-gezellige-avond'. Lugosi luisterde mee aan mijn schouders terwijl het kwartet fladderende capes weer op hem af ritselde.

'Ik weet het niet meer,' zei Billings spelend met zijn tanden.

'Het is mijn idee geweest,' fluisterde de donkere vrouw. Haar stem had een beetje een buitenlands accent, ze klonk geamuseerd en een tikkeltje loom. Ze tuurde schaamteloos naar mijn veelbereisde nek en ik trok mijn kraag op.

'Nee,' onderbrak een slanke vampier haar. Hij had een haakneus en een te kleine cape waardoor zijn woorden totaal werden gesmoord. Zijn accent was beslist veel meer Newyorks joods dan Transsylvaans.

'Nee, nee, nee,' zei nu de Chinese vampier. Zijn brede cape golfde en hij drong zich ongegeneerd naar voren. De cape was zo lang dat hij erop stapte en tegen Lugosi aan viel.

De donkere vampier die me al eerder die avond had bestudeerd, was de enige die niet de daad opeiste.

'Was er iemand die tegen de invitatie was?' probeerde ik in de wetenschap dat niemand dit zou toegeven in Lugosi's nabijheid, maar evenzogoed rekende ik op intervampiriaanse competitiedrift.

'Nee, waarom?' vroeg de Chinees.

'Omdat,' zei Lugosi met een brede glimlach, 'ik graag welkom ben. Ik heb min of meer van dit bezoek genoten, maar het zand van de tijd stroomt meedogenloos omlaag en de dageraad naakt.' Lugosi gebaarde vaaglijk waar die dageraad kon zijn, ergens boven het beschimmelde plafond. We liepen naar de trap, gevolgd door de vampiers. Ik voelde de warme adem van de vrouw in mijn nek en ik zag al haar ogen op mijn niet te schone boord.

Ze begeleidden ons over de smalle trap omhoog, door de theaterdeur naar de hal waar handen mij mijn jas aanreikten en Lugosi diens jas en slappe vilthoed.

We wisselden woorden uit van dank, wensten elkaar het allerbeste toe, beloofden nog eens langs te komen en elkaar te schrijven, en dat allemaal voordat de deur openging.

'Welterusten,' zei Lugosi over zijn schouder en hij stapte de

donkere kou in, door mij gevolgd. In de afgelopen week was
het gemeen koud geweest. Ik droeg een jas van Hy O'Briens
lommerd. De jas had ik voor een prik kunnen kopen. Ik had
er maar drie dollar meer voor betaald dan waarvoor ik hem
een maand geleden aan Hy had verkocht.
De hemel was betrokken en er brandde bijna nergens licht.
De straatlantaarns waren gedoofd vanwege de verduistering
en de meeste winkels lieten 's nachts geen verlichting aan.
Ze hadden niet graag dat de eerste Japanse bommen op hun
handel vielen. We stonden enkele ogenblikken stil en probeerden onze ogen aan te passen aan de duisternis. Toen ik
naar mijn wagen wilde gaan, hoorde ik geen voetstappen
achter me. Ik draaide me om en ontwaarde Lugosi's gestalte
een meter of drie, vier verder.
'Mijn hoed,' lispelde hij.
Eerst dacht ik dat hij 'mijn bloed' had gezegd omdat hij wie
weet mesjogge was geworden, hoteldebotel, stapel, maar hij
zei het nog een keer en nu verstond ik hem goed.
'Die is toch in uw hand,' zei ik.
'Er zit iets in,' antwoordde hij. Mijn ogen konden nu langzamerhand meer details ontwaren, zoals het beven van zijn
handen. Ik liep snel naar hem toe en nam de hoed aan. Ik
ging er met mijn hand in en voelde iets wat een plakkerig
stuk doek kon zijn. Ik bracht Lugosi snel naar mijn wagen,
liet hem instappen en liep toen naar de andere kant. Ik startte de motor en zette het plafondlampje aan. Een auto reed
de verlaten straat uit en we wachtten tot hij weg was, eer we
naar de zwarte lap keken die ik uit de hoed getrokken had.
Er stond iets in bloed op geschreven, of althans in een verdomd goede imitatie daarvan.
'Er staat op: "Je was gewaarschuwd",' zei ik tegen Lugosi,
die zich nu enigszins van de schok hersteld had. Ik deed het
plafondlicht uit. Zijn gelaat was niet meer te zien, maar ik
hoorde gelach en toen zijn bekende stem. 'Prima te gebruiken voor een nieuwe horrorserie,' zei hij.
Ik schakelde de eerste versnelling in. 'We hebben in elk geval nu hooguit vijf verdachten. Ik moet zeggen, we gaan
vooruit.'

Toen ik Lugosi naar huis reed, hield ik hem aan de praat. Ik vroeg hem over zijn leven, zijn werk, alles wat de wereld weer normaal kon maken.

'Ik heb vroeger eerzucht gekend,' zei hij. Ik wierp een blik op hem. Het licht van passerende auto's wierp schaduwen over zijn gelaat. 'Ik was toen verbonden aan het Nationale Theater van Hongarije. Ik heb Shakespeare gespeeld. Kun je je dat indenken? Ik heb Romeo gedaan. En ik werd onderscheiden, jazeker. Ik ben officier geweest in het Vijfenveertigste Regiment van de Koninklijke Hongaarse Infanterie. Ben gewond geweest, heb de dood echt gezien. En nu komt er zo'n stomme grap en krijg ik de zenuwen.'

'Ik heb ook betere dagen gekend,' probeerde ik.

'Nee, meneer Peters, ik leef nu op hoop. Ik heb minder verdiend dan de meeste mensen denken, en ik ben zo onverstandig geweest om nog meer te verkwisten aan onzin en ijdelheid.'

Ik probeerde hem te troosten, maar hij duwde me lachend weg met zijn elleboog.

'Nee,' zei hij, 'ik doe mijn best, maar ik kan onmogelijk mezelf als een tragisch figuur zien. Ik heb ook goede tijden gekend. Laten we ergens iets gaan drinken. Ik moet morgen om acht uur in de studio zijn, maar vanavond, nieuwe vriend, delen we een fles en vertellen elkaar ons levensverhaal, al dan niet gelardeerd met leugens, waarheid en romantiek.'

We reden naar een bar op Sprina die ik kende. Lugosi mengde bier en scotch en ik deed een uur over twee biertjes. Hij gaf een rondje voor de hele zaak en luisterde naar de barkeeper, die ons mededeelde dat MacArthur gewond was en Manilla gevallen. Een vent met een zwarte pruik die scheef op zijn kop stond, voegde hieraan toe dat hij gehoord had dat het leger auto's van burgers zou vorderen omdat er een tekort aan voertuigen was.

Lugosi luisterde geduldig glimlachend naar al die oorlogsverhalen en de jukebox die Tommy Dorsey's versie speelde van *This Love of Mine*.

Ik begon net te denken dat de gedachten van mijn cliënt nu

verre waren van bloederige boodschappen, maar hij keek naar de laatste druppels amberkleurige scotch op de bodem van zijn bierglas en zei zacht:

Ik pacht uw lichaam uit de Aard.
Als vampier zij het dat ge waart
Door dreven waar uw wieg eens stond.
Verwantenbloed kleeft aan uw mond.

Zijn woorden stierven weg en zwollen weer aan toen de plaat stopte. De vijf, zes kerels aan de bar en de barkeeper werden stil.

Met priemtand en besmette lip
Schrijd huiv'ringwekkend, neem uw tol
En drink en moord met heks en trol
Tot uw gezellen krijsend wijken
Uw gruwel is niet hun gelijke.

Dat maakte een einde aan de feestvreugde en ik kreeg nu Lugosi zonder veel moeite mee naar huis. Ik beloofde hem dat ik de volgende dag door zou gaan met mijn onderzoek naar de Zwarte Ridders en zette hem bij de deur af. Ik durfde hem niet om nog een dag voorschot te vragen.

2

Gunther Wherthman was nog geen meter hoog. Hij was een echte dwerg. Het was acht uur in de ochtend van 3 januari 1942 en hij zat tegenover mij en at langzaam een gepocheerd ei. Ik wist de tijd niet van mijn horloge dat altijd een uur of twee ernaast zat, maar van de notehouten klok aan de muur. Ik had die klok bij wijze van betaling gekregen van een vent die een pandjeshuis runde, omdat ik zijn verdwenen grootmoeder had opgespoord. Dat werk had me tien minuten gekost. Oma had zich in haar klerenkast verstopt.

Gunther droeg een donkerblauw kostuum waar niet één kreuk aan te bekennen was en waar discrete, dunne streepjes diagonaal doorheen liepen. Hij geurde naar toiletwater en zag eruit alsof hij op het punt stond naar zijn werk te gaan, hetgeen ook het geval was. Maar zijn werk speelde zich af in de kamer naast de mijne. Er bestond weinig kans dat Gunther, die een bescheiden boterham verdiende als vertaler uit het Duits, Frans, Nederlands, Vlaams, Spaans en Baskisch, iemand anders dan mij of onze hospita overdag zou ontmoeten en geen van ons kon het schelen wat hij aanhad.

Gunther had mij op dit pension op Heliotrope in Hollywood attent gemaakt toen ik hem had gered van een aanklacht wegens moord, ongeveer een jaar geleden. Een Paddy die had meegedaan aan de verfilming van *The Wizard of Oz* was het slachtoffer geweest. Gunther had net als de meeste mensen in het Westen die kleiner waren dan een meter twintig een rolletje in die film gekregen. En af en toe verdiende hij er nog een centje bij door mee te doen aan films waarin ze kleine mensjes nodig hadden.

Een van zijn lievelingsrollen was heel eenvoudig geweest. Hij moest gewoon door een lange gang heen en weer lopen voorbij een andere dwerg. De regisseur had de gedachte gehad dat niemand op die afstand in de gaten zou hebben dat de twee mannen dwergen waren en de gang leek nu twee keer zo lang. Gunther had zich nooit de moeite getroost om

23

die film te bekijken.

Het was zaterdagmorgen en ik was van plan te gaan werken, maar eerst vulde ik een overmaatse kom met cornflakes en dronk ik een paar bekers koffie, gezet van versgemalen bonen die ik voor negenentwintig cent per pond bij Ralph om de hoek kon kopen.

Uit de krant vernam ik dat Roosevelt van plan was de oorlogsindustrie van de kust te verplaatsen omdat die daar te kwetsbaar was. De Russen hadden de Duitsers op honderd kilometer voor Moskou tot staan gebracht. Die plaats heette Maloyaroslavets. Corregidor overwoog een grootscheepse aanval op Japan. Tony Martin had zich bij de marine gemeld en Hank Greenberg had bijgetekend. Ik zag een foto van Warner Brothers die een alarmoefening hadden georganiseerd. Een stapel zandzakken die beschutting tegen luchtaanvallen moest geven, omringde Mike Curtiz, Dennis Morgan, Bette Davis, 'George the Grip', Irene Manning en Chet, een medewerker die ik had leren kennen toen ik voor de studio werkte. Ik liet de foto aan Gunther zien. Hij legde zijn lepel neer, bekeek beleefd de foto en knikte vervolgens.

'Is die nieuwe zaak van jou belangrijk?' vroeg Gunther precies op het ogenblik dat mijn mond leeg was.

'Ach, ik kan er een paar rekeningen mee betalen,' zei ik, 'maar veel werk zit er niet aan vast en dat komt me wel zo goed uit. Het gebeurt elke dag. Een of andere gek schrijft een briefje, haalt een stunt uit. Over een paar dagen weet ik waarschijnlijk al wie het is. Ik maak hem bang en strijk mijn centen op.'

Gunther vroeg niet om details. Hij veegde zijn mond met zijn servet af en klom omlaag om de tafel af te ruimen. Ik trakteerde mezelf op een tweede kom cornflakes en nam me voor een paar pakken te kopen nu ze voor tien cent in de aanbieding waren. Het leven kon zo eenvoudig zijn.

Ik had al enkele weken geen last meer van mijn rug. Mijn voorhoofdsholteontsteking speelde op, maar dat deed ze al jaren ten gevolge van mijn geplette neus en op een beetje hoofdpijn na was er niets aan de hand. De scherf in mijn linkerpink was van plaats veranderd, maar met een paar aspirientjes was ik weer het heertje. En sinds november had ik geen migraine meer gehad. De wereld was vol hoop en belofte, als je tenminste de oorlog niet meetelde.

Ik had mijn ontbijt genuttigd in mijn onderhemd, niet vanwege een verlangen om Gunther te bruskeren, maar om dat dunne laagje netheid te bewaren dat nog kleefde aan mijn overhemd, das en colbert. Met een krap budget kon ik me de stomerij niet permitteren en met geen mogelijkheid zou ik een overhemd van Gunther kunnen lenen.

Ik trapte de matras waarop ik sliep in de hoek, kleedde me aan, beloofde Gunther dat ik onderweg gesteriliseerde melk zou halen, stapte door de deur de hal in en liep zo zachtjes als ik kon de trap af om mevrouw Plaut, onze dove hospita, te ontwijken. Een gesprek met haar zou een rechercheur van de FBI tot spinazie à la crème reduceren.

De kranten drukten de weersverwachting niet meer af voor het geval de Japanners dit in hun invasieplannen konden betrekken. Ik had al vermoed dat het vandaag niet veel warmer dan gisteren zou zijn en kreeg gelijk. Dat gelijk bestond erin dat ik mijn jas had aangetrokken. Ik had nog maar één ander kostuum thuis en dat was zo mogelijk nog smeriger dan wat ik aanhad.

Na de boodschappen, benzine en een reep chocolade had ik nog twintig van Lugosi's dertig dollar over. Ik reed naar de stad en overwoog of ik Carmen zou oppikken en haar zou vragen vanavond met mij uit te gaan, na haar werk achter de kassa van Levy. In de Pantages draaiden ze de volledige versie van *Ball of Fire* om half twee ten behoeve van defensiepersoneel en lijders aan slapeloosheid. Ik was nog steeds aan het weifelen toen ik bij het Farraday-gebouw kwam en mijn wagen in een steegje achter vuilnisemmers parkeerde. Je had altijd de kans dat iemand mijn brik voor afval zou aanzien, maar dat riskeerde ik.

De lobby van het Farraday was leeg op Jeremy Butler na, vroeger worstelaar, thans dichter en hospes. Hij gebruikte zijn aanzienlijke spierkracht en een blik Old Dutch Cleanser om de grauwe muur naast de borden van de huurders schoon te boenen. Op die muur stonden vage obsceniteiten, maar sommige mensen hadden nog meer bezwaren tegen de borden. We hadden een bookmaker die zich voordeed als tabakshandelaar, een halfwaanzinnige dokter gespecialiseerd in zaken die hij niet meldde, een babyfotograaf die nog lelijker was dan ik en die nooit een camera bij zich had, een oplichter, genaamd Albertini, die elke week de naam van zijn bedrijf veranderde (deze week was het Federal Newsprint, Ltd.) en nog diverse anderen waaronder Sheldon Minck, kaakchirurg, en Toby Peters, de achterkant van de detective-business.

'Hoe is de business, Toby?' vroeg Butler. Hij had zijn mouwen opgerold voor de arbeid en zijn spieren puilden uit onder zwart, dik haar.

'Ik heb een cliënt,' zei ik en bleef staan om te lezen wat hij had uitgewist, maar dat lukte me niet. 'Bela Lugosi. Zeg, jij bent dichter, ken jij soms een gedicht dat begint met "Ik pacht uw lichaam uit de Aard"?'

'Dat is het begin niet,' zei Butler en hij stortte zich op wat de resten van een anatomische tekening waren.

'Het is van Lord Byron die gek was op vampiers. Een heleboel dichters zijn zo. Ik heb ook eens een vampiergedicht geschreven.' Hij deed een stap naar achteren om zijn pogingen te bewonderen, maar wat hij zag beviel hem niet en onvervaard ging hij weer aan de slag.

'Het is vorig jaar in de *Little Bay Review* gepubliceerd,' zei hij.

'Geweldig,' antwoordde ik en wilde de donkere trap opgaan, maar zijn stem, kreunend bij elke veegbeweging, bracht me zijn gedicht. Ik bleef beleefd staan luisteren.

Wat is er toch gebeurd met geel?
Het is veranderd, maar niet veel.
Het is nu wit, van de milde beet
Die een vampier het eens deed.
In geel zag men toen
Het ontbreken van groen.
Maar dat door degenen die nooit konden erven
De appreciatie van het leven en sterven.

Geel tolt in mensen
Ontdaan, maar niet leeg
Gewichtloos als wensen
Waar zwijgen eens zweeg.
Maar ik, ik kan horen,
De angst en de vrees
Niets gaat verloren
Waar geel eens verrees.

En zonder overgang zei hij: 'Als ik die klootzak in mijn handen krijg, dan zal hij ervan lusten.'
'Daar twijfel ik niet aan,' zei ik en liep de trap op, die zoals altijd naar lysol rook. Jeremy had zijn leven aan de dichtkunst gewijd en aan een voortdurende strijd tegen het vuil dat hij mede met het Farraday-gebouw geërfd had. Alleen een dichter of een monster had dit aangekund en Jeremy was beiden. Ik had geen woord van zijn gedicht begrepen, maar daar maakte ik me weinig zorgen over. De hele zaak was mij te literair geworden.
Toen ik bij mijn kantoor kwam, wist ik zeker dat Shelly Minck al binnen was en dat hij tien tegen een geen gedicht over vampiers zou kennen.
Ik perste me behoedzaam door het piepkleine wachtkamertje in een poging de stof niet te verstoren en liep Shelly's spreekkamer binnen. Hij was bezig met een dikke vrouw die gesmoord 'argghhh' uitstootte, de hele tijd, of Shelly nu met haar bezig was of niet. Zijn stompen van vingers dansten over de instrumenten en hij maakte er een schoon op zijn vuile, eens witte jas voordat hij het ding in de mond van de vrouw stak. Zweet parelde uit de vetrollen van zijn nek, zoals altijd het geval was als hij werkte. En hij pauzeerde tussen zoeken, tasten en grijpen met zijn tang om een trek te nemen van een sigaar die hij op zijn instrumentenblad had gelegd.
'Ha die Shelly,' zei ik en keek over zijn schouders mee in de rottende mond van de dikke vrouw. Haar angstige ogen zochten de mijne en ik deed mijn best om niet mijn afgrijzen te laten blijken.

'Toby,' zei hij, 'ik had gehoopt dat je vandaag langs zou komen. Zullen we samsam doen? Ik weet een schuilkelder tegen bommen te koop, uit Londen. Voor 285 dollar bouwen ze hem in mijn tuin.'

Hij trok iets kleins en bloederigs uit de mond van de dikke vrouw en haar 'argghhh'-en gingen een paar decibellen omhoog.

'Het is gebeurd, mevrouw Lee,' zei hij en hij bekeek het voorwerpje met grote belangstelling. 'Het is gewoon... een stukje van iets.'

'Wat heb ik aan een schuilkelder in jouw tuin?' vroeg ik. 'Ik geloof niet dat de Jappen bij een aanval ons voldoende tijd zullen geven om van hier naar jouw huis te rennen.'

'Mevrouw Lee,' zei hij en hij richtte zijn bijziende ogen achter dikke glazen op haar, 'denkt u dat u en meneer Lee, zo er een meneer Lee bestaat, geïnteresseerd zijn in vijftig procent van een schuilkelder? Als een zware bom valt is al het werk wat ik aan uw mond heb gedaan, voor niets geweest.'

'Arggghhh,' zei mevrouw Lee met doodsangst in haar koeieogen.

'Ze heeft "ja" gezegd,' zei Shelly. Hij zocht naar een onvindbaar instrument terwijl hij aan zijn sigaar trok.

'Volgens mij heeft ze "nee" gezegd,' zei ik.

Shelly haalde zijn schouders op, vond een scherp instrument, probeerde dat uit op zijn vinger en wendde zich tot mevrouw Lee die zo diep als ze kon zich in de stoel terugtrok.

'Kalm nou maar,' gromde Shelly. 'Hij is schoon.'

Ik wilde niet meer kijken. Ik liep mijn kantoor in en sloot de deur. De 'argghhh'-en van mevrouw Lee deden de hengsels trillen en ik probeerde haar te vergeten door te kijken naar een foto van mijn vader, mijn broer, ik en Kaiser Wilhelm, onze hond. Het was een foto uit de oudheid die me altijd rustig maakte en inspireerde tot nieuwe provocatie-hoogten ten opzichte van mijn broer met wie ik sedert mijn geboortedag had gevochten.

Mijn post had weinig meer te bieden dan een advertentie waarin stond dat ik voor 1 dollar 75 kon dineren bij Florentine Gardens waar ik tegelijk Paul Whiteman kon horen. Dat zou neerkomen op vier ballen plus benzine plus een tip als ik Carmen meenam. De Pantages kostten me vijftig cent en voor nog tien cent konden we een taco kopen. Als Lugosi me nog één dag zou betalen, konden er zelfs een paar biertjes van af. Dit waren de gedachten van uw wereldse levensgenieter.

Er was een interessante boodschap voor mij aan de pin op mijn bureau. Shelly's handschrift was onmiskenbaar en het nummer was onleesbaar, maar ik dacht de naam te herkennen.

'Shelly,' gilde ik door de deur toen de smartekreten van zijn patiënte even verstomd waren, 'komt die boodschap van Martin Leib?'

'Klopt,' gilde hij terug.

Leib was een uiterst formele, precieze advocaat van de oude stempel die voor de grote studio's werkte. Ik had eerder met hem gewerkt en wist dat hij me niet om sentimentele redenen had gebeld of om samen een borrel te drinken. Ik vond zijn nummer in de gids en belde. Bij de tweede zoemtoon nam hij op.

'Peters,' zei hij zacht. 'Je telefoontje komt net op tijd. Ik stond op het punt een ander te bellen. Ik heb een klus voor je, net als die vorige. Cliënt wordt van moord beschuldigd. Warner wil de zaak rustig houden tot alles is opgeklaard. Ik kan hooguit enkele dagen de publiciteit tegenhouden. De zaak moet snel onderzocht worden. Ik moet ook weten wat de politie al dan niet weet of doet. Kun je het aan?'

Als ik Leib vertelde dat ik al een opdracht en een cliënt had, zou hij 'fijn' zeggen en ophangen. Waarom kon een detective er trouwens niet twee cliënten tegelijk op na houden? Akkoord, dat was me nooit eerder overkomen, maar ik was nu bij een punt beland waarbij ik alle hulp van de kapitalisten kon gebruiken. Dat geintje met Bela Lugosi was intrigerend, maar een moordzaak voor Warner Brothers betekende mogelijk het grote geld.

'Vijftig per dag plus onkosten,' zei ik. 'Twee dagen voorschot.'

'Vijfendertig,' zei Leib. 'Dit is voor Jack Warner, niet voor Louis Mayer. Ik heb het geld voor je klaarliggen bij het bureau Wilshire. Daar wordt onze cliënt vastgehouden. Ik denk dat je maar meteen naar hem toe moet gaan. Ik ben al begonnen.'
'En?' zei ik, denkend aan de Florentine Gardens.
'En het ziet er beroerd uit,' zei hij. Meer had hij me niet te vertellen en daarom had ik nog maar één vraag.
'De naam van de cliënt?'
'Faulkner, William Faulkner.'
'De schrijver?'
'De vermeende moordenaar,' zei Leib en hing op.
De zaken gingen goed. Een vol jaar met dit soort opdrachten en ik was een serieuze concurrent van Pinkerton. Ik pakte mijn jas en liep Shelly's spreekkamer weer in. Hij was bezig mevrouw Lee te demonstreren hoe ze haar mond moest spoelen. Ze had nu alle schijn van zelfbeheersing verloren en deed Shelly's gebaren willoos na. Haar 'arghhh' was nu gedempt tot een traag, zacht gegorgel.
'Ik ga naar een andere zaak,' zei ik tegen Shelly's rug. Hij zwaaide met zijn sigaar ten teken dat hij me had verstaan.
'O ja, dat was ik bijna vergeten,' zei ik op weg naar de deur. 'Het kan zijn dat ene Billings contact met je opneemt. Hij heeft een overbeet, ten gevolge van vampiertanden.'
Dat deed Shelly wat. Hij draaide zich om en tuurde door de kogelvrije glazen van zijn bril ongeveer in mijn richting.
'Hij is vampier,' lichtte ik toe.
Mevrouw Lee leek het woord vampier ondanks haar verstarring opgevangen te hebben, want ze keek me vaag aan.
'Vampiers zijn dentaal gesproken onbestaanbaar,' zei Shelly vastberaden. 'Althans vampiers met die grote hoektanden. Op geen enkele manier kan de menselijke kaak dergelijke tanden dragen.' Hij stopte zijn vinger in mevrouw Lee's mond om zijn woorden kracht bij te zetten. 'De hele mond raakt dan uit balans. Met die kaak slaapt hij geen nacht rustig en hij kan niet eens eten.'
'Maar vampiers eten niet en overdag slapen ze net als de doden,' zei ik.

Mevrouw Lee knikte instemmend en Shelly keek fronsend op haar neer.

'Kijk eens wie we hier hebben. Mevrouw van Helsing,' zei hij honend en wees met zijn duim naar de vrouw.

'Geen echte vampier,' legde ik uit en opende de deur. 'Gewoon een vent die neptanden draagt en zich graag verkleedt. Iets hoger qua klasse dan jouw gemiddelde patiënt.'

'Als hij langskomt, zal ik hem eens goed bekijken,' zei Shelly professioneel en hij wendde zich weer tot zijn patiënte. Zijn bril was omlaag gegleden over zijn neus en met zijn vrije duim kon hij nog net voorkomen dat hij op de schoot van mevrouw Lee viel.

Het Farraday-gebouw bezat een lift en Jeremy Butler zorgde ervoor dat die inderdaad omlaag en omhoog ging, maar hij kon niets doen aan de snelheid die voor de meeste stervelingen ondraaglijk langzaam was. Ik rende de trap af, trok ondertussen mijn jas aan en luisterde naar de echo van mijn voetstappen. Op de verdieping beneden die van mij was de bookmaker bezig met onduidelijke handelingen aan zijn slot. De telefoon rinkelde en hij probeerde naar binnen te gaan om geen weddenschap te missen, maar zijn ogen stonden glazig en hoe meer hij het probeerde, hoe meer weerstand het slot leek te bieden. Ik deed niet eens de moeite hem gedag te zeggen.

Butler was nog steeds met de muur bezig en had nu zijn tweede blik Old Dutch Cleanser aangesproken.

'Als ik nu eens de hele muur overschilderde?' vroeg hij.

'Daar zou hij een stuk van opknappen,' zei ik. Binnenhuisarchitectuur is niet mijn stiel, maar die rare witte vlek die hij had gemaakt op de grijze muur deed de lobby eruitzien als het decor van een Duitse griezelfilm.

Een zwerver uit de buurt drukte zijn neus plat tegen het raam van mijn auto toen ik het steegje insnelde. Hij wendde zijn gezicht met grijze stoppelbaard van me af toen hij me hoorde aankomen en deed of hij het landschap, de vuilnishopen en de lege dozen bewonderde. Hij gedroeg zich of hij op de tram wachtte, maar ik vond dat hij er nu net uitzag als iemand die met zijn poot in de kassa was betrapt.

Ik gaf de man een kwartje, vertelde hem dat het een mooie dag was en reed weg, richting bureau Wilshire. Leibs kantoor bevond zich in Westwood en was dichter bij het bureau. In mijn hebzucht had ik vergeten te vragen wie Faulkner vermoord had en waarom.

Toen ik de huiverende palmen passeerde en die enkeling die naar Los Angeles was gekomen om te zoeken wat hij in het Oosten niet kon vinden en die had gevonden waarnaar hij niet had gezocht, dacht ik aan de twee vorige keren dat ik Faulkner gezien had. Hij was bezig geweest aan een of ander project bij Warner, een paar jaar geleden. Ik moest daar toen ook zijn vanwege een opdracht en had hem bij die gelegenheid door een raam gezien. Faulkner had er bedroefd en ernstig uitgezien. Zijn schrijfmachine bood hem weinig vreugde. Maar vandaag zou die vreugde vermoedelijk nog geringer zijn.

Ik vond een plekje voor mijn wagen een paar straten van het bureau en holde terug. Een jonge, kalende politieman in uniform die ik kende als Rashkow, liep me op de trap bij de ingang bijna ondersteboven.

'Dag,' zei hij op ernstige toon.

'Hallo, is mijn broertje aanwezig?'

'Hij is er,' zei Rashkow en trok zijn jas dicht. 'Ik heb hem zo net nog gezien. Dit is mijn laatste dag geweest.'

'Vakantie?' vroeg ik.

'Het leger,' zei hij. 'Ik heb vorige week dienst genomen. Volgens de kranten gaat het goed, maar ik weet het zo net nog niet.'

'Ik weet het ook niet,' zei ik. 'Maar veel geluk. Win die oorlog maar gauw.'

'Ik zal mijn best doen,' zei Rashkow en hij zette zijn pet recht toen hij de trap afstommelde.

Die verdomde oorlog bleef zich maar bemoeien met mijn leven en beroep. Het was heel moeilijk om je op je carrière te concentreren als iedereen om je heen neurotisch begon te doen.

De wachtcommandant, een oude rot die Coronet heette, wenkte me en gaf me een envelop.

'Net voor jou binnengekomen,' zei hij zonder zijn ogen af te wenden van twee zwijgende Japanse jongens van een jaar of twintig die op de bank in de hoek aan elkaar geboeid zaten.
'Wat hebben ze gedaan?' vroeg ik Coronet, wiens agressie jegens de twee de vorm aannam van een vooruitgestoken onderlip en gebalde vuisten.
'Een vrouw die achter hen in een café zat, hoorde ze juichen toen Pearl Harbor op t.v. kwam, en toen Roosevelt iets zei begonnen ze te sissen.'
De twee jonge mannen, die graatmager waren en niet zeker wisten of ze nu bang of onbevreesd moesten zijn, keken van Coronet naar mij.
'Is dat een misdaad?' vroeg ik.
'Natuurlijk is dat een misdaad,' zei Coronet zonder zijn beschuldigende ogen van het tweetal af te wenden. 'We zijn in oorlog.'
Dat beantwoordde mijn vraag niet, maar ik wist dat ik toch niets verstandigs uit Coronet kon trekken, en bovendien had ik mijn envelop met geld van Leib. Ik beklom dus maar de twintig krakende treden naar de veelgetrapte houten deur bovenaan en liep het wachtverblijf in. De kamer stonk als alle andere wachtverblijven op politiebureaus naar eten: oud eten, vers eten, heet eten, koud eten. De etenslucht was penetranter dan de geur van mensen en van verschaalde rook.
Rechercheurs zaten aan hun bureau. Enkelen waren aan het telefoneren. Een dikke rechercheur die Veldu heette, zat op de hoek van het bureau van een nieuwe man die ik niet kende. Veldu had een sandwich in een hand, koffie in de andere en een mondvol filosofie bestemd voor de nieuweling die zwart, glad, naar achteren gekamd haar had met een scheiding in het midden alsof hij lid probeerde te worden van een barbierskwartet.
'Dus Lem Franklin zetten ze op de tweede plaats,' zei Veldu. 'Nummer twee. Hoe is het in godsnaam mogelijk! Buddy Bear, die bal gehakt, die pakt hem binnen de minuut.' Hij hapte in zijn sandwich en zette zijn koffie neer. 'Er zijn er zeker zes die Franklin nog kunnen pakken als ze een slechte

33

dag hebben.' Hij begon de zes af te tellen. 'Bob Pastor, Melio Bettina, Abe Simon, Lou Nova, Roscoe Toles, ja zelfs Tamy Mauriello. Eigenlijk moet Pastor nummer een zijn en Conn helemaal onderaan. Die heeft geen punch. Louis heeft geen gevoel. Ze moeten hem met een knuppel doodslaan.' Veldu sloeg met zijn vuist op het bureau om aan te duiden hoe men Joe Louis kon uitschakelen. Het bureau trilde en de koffie gutste uit het bekertje.

'Klote,' gromde Veldu al happend. 'Ik moet nieuwe koffie.' Hij stommelde weg en liet de troep achter voor de nieuweling die tissue-papier pakte uit een lade en probeerde te voorkomen dat de vlek zich bij de andere vlekken zou voegen. De nieuweling kreeg me in de gaten.

'Wat kan ik voor u doen?' vroeg hij ongeduldig, een slecht teken in een kersverse rechercheur, althans slecht voor mij en elke potentiële misdadiger die hij zou tegenkomen.

'Ik heet Peters,' zei ik en stak mijn hand uit. 'Ik ben privé-detective, ik moet een advocaat een handje helpen. Leib heet hij. Ik kom in verband met een cliënt van hem, Faulkner, die hier opgesloten zit. Ik zou die Faulkner graag spreken.'

De nieuweling keek naar mijn hand en bleef doorgaan met het schoonmaken van zijn bureau. Hij bleef maar boenen. Ik keek naar een vrouw twee bureaus verder die met een detective in gesprek was. Ze zag er keurig uit, droeg een hoedje met een lange veer en een deux-pièces waarvan de rok tot aan de knieën reikte. Haar schouders waren een beetje opgevuld en ze zag eruit alsof ze net door een chique zaak was aangekleed.

'... mijn oren,' hoorde ik haar zeggen en ik probeerde nog meer op te vangen, maar de nieuweling keek me nu aan met minder dan vriendschap in zijn ogen en een stapel doorweekte Kleenex-tissues waar hij geen raad mee wist.

'Ik kijk wel even,' zei hij en liep naar het hokje van hoofdinspecteur Philip Pevsner. Hij gooide de Kleenex in een prullenmand en een zwarte jongen van een jaar of vijftien die op verhoor wachtte, deinsde weg.

Ik probeerde nog meer op te vangen van de conversatie van

de keurig geklede dame. Ik dacht dat ik haar 'Sally Rand' hoorde zeggen tegen de diender die geduldig luisterde, maar daar was ik niet zeker van. En ik kreeg geen tijd om wijzer te worden. De nieuwe diender wees me naar Pevsners deur en ik liep langs de her en der neergezette bureaus en lijven, waarbij ik over voeten en voormalige geheimen stapte.

De nieuweling deed met een zure smoel een stap naar achteren en ik liep het kantoortje in met een los 'bedankt' over mijn schouders.

'Vriendelijke knaap,' zei ik tegen Pevsner toen de deur dichtging.

'Dat is Cawelti,' zei Pevsner zonder op te kijken van de berg op zijn bureau. 'Hij heeft vijf jaar dienst gedaan in Venice. Hij had moeilijkheden, maar hij deed wel zijn werk. Ik houd van mensen die hun werk doen.' Toen pas keek hij me aan. Ik kende die blik van milde verachting, maar de laatste tijd was die gemengd met een tikkeltje verdraagzaamheid die op zijn gunstigst een voorbode kon zijn van een tijdelijke vrede. Phil was iets groter dan ik, wat breder, enkele jaren ouder en een stuk zwaarder. Zijn staalgrijze, kortgeknipte haar was een magneet voor zijn krachtige, dikke vingers. Hij krabde zich voortdurend, of dit nu kwam door roos, gewoonte of verbazing, daar zou ik nooit achter komen. En ik had het hem al meer dan dertig jaar zien doen. Hij was mijn broer.

Hij zuchtte. Vriendelijker kon hij niet worden. Ik reageerde door geen kwalijke grapjes te maken. De oorlog had ons tot een wapenstilstand gebracht. Ik had zelfs geen kans meer om hem zoals vroeger op de kast te jagen met de vraag hoe het met zijn vrouw Ruth en de kinderen ging. Die kans was ik op de zevende december kwijtgeraakt toen ik op uitermate klungelige wijze mijn zwak voor zijn jongste baby, Lucy, had proberen te verbergen. Phil was bijna vijftig, te oud voor kinderen, net als Lugosi, maar aangezien ik er geen had, hield ik mijn mond maar.

Ook kon Phil niet al te best met volwassenen omgaan. Zijn eerste reactie bestond doorgaans uit het gebruik van zijn vuisten. Dat had ik als kind al geleerd en mijn neus kon daarvan getuigen. Bij de politie was hij er niet minzamer op geworden. Misdaad betekende voor hem iets persoonlijks. Criminelen vraten zijn vrije tijd op, pleegden misdaden enkel en alleen om hem het leven moeilijk te maken, ze moordden en verkrachtten en dat alleen om hem aan de slag en boos te houden. De baan van politieman was voor Phil niet zomaar iets; het was een vendetta, een vendetta die hij nooit kon winnen. Zij waren met veel meer dan hij en doorgaans associeerde hij mij met de misdadigers, met arbeid althans voor mogelijke en in staat van beschuldiging gestelde misdadigers. Zelfs als mijn cliënten onschuldig bleken, dan nog was het voor Phil niet de moeite waard geweest.

'Ben jij bezig met de zaak-Faulkner?' vroeg hij en keek weer op zijn bureau.

'Precies,' zei ik.

'Je hebt geen schijn van kans,' zei hij. Hij ging staan en maakte zijn al losse das nog losser. Hij tikte op het dossier dat voor hem lag. 'Hij heeft het gedaan. Twee ooggetuigen, de vrouw van het slachtoffer en het slachtoffer zelf voor hij stierf.'

'Heeft William Faulkner iemand vermoord?'

'Dat zei ik toch net,' zei Phil en hij keek me met toenemend ongeduld aan.

'Weet je wel wie hij is?' vroeg ik.

Phil werd rood. Het begon bij zijn nek en kroop omhoog.

'Ik heb het druk, maar ik ben niet ongeletterd,' zei hij. 'En het kan me geen ene reet schelen al is hij de paus.' Phil wees naar mij. 'Hij heeft een burger gepakt en nou moet hij boeten. Leib kan doen wat hij wil en misschien heb jij nog een paar trucs, en het duurt dan misschien nog een paar dagen, maar dan is het afgelopen met meneer. Dan gaat-ie voor de bijl.'

De woede die achter Phils onrustige uiterlijk rotte, had soms de neiging naar buiten te spuiten en de eerste de beste te bedreigen. En die eerste de beste was heel vaak ik.

'Rustig maar, Phil,' zei ik. 'Ik doe gewoon mijn werk.'

'Lees dat rapport,' zei hij grommend. 'Maar ga niet achter mijn bureau zitten. Ik ga koffie halen. Cawelti brengt Faulk-

ner naar boven.'
'Bedankt,' zei ik tegen de dichtgaande deur. In geen jaren
had ik zo'n beleefd gesprek met mijn broer gehad.
Ik pakte het dossier. Daar waren enkele verklaringen bij van
ooggetuigen en de lijkschouwer en de rechercheur die de
zaak had behandeld, Cawelti. Ik zat in de stoel tegenover
Phils bureau en wilde mijn voeten daarop leggen, maar toen
herinnerde ik me wat er was gebeurd toen Phil me in die
houding had betrapt. Ik was bijna vijf centimeter korter geworden en veel centimeters had ik niet te missen. Het rapport zat goed in elkaar en Faulkner zat buiten kijf in de pu-
ree.

Rapport. Rechercheur John Cawelti, Wilshire.
Om 21.20 uur, 3 januari 1942, werd ik geroepen naar Be-
nedict Canyon 3443 te Beverly Hills. Ik arriveerde kort na
de ambulance. Dienstdoende arts, Bengt Lidstrom, zei
dat slachtoffer, Jacques Shatzkin te dien adres domicilie
houdend, dood was. Drie kogels in borst. Agent Steven
Bowles was ter plaatse en zei dat hij geroepen was. Bowles (zie bijgevoegd rapport) was aangekomen voor overlijden Shatzkin. Shatzkin identificeerde William Faulkner, schrijver, als zijn aanvaller. Camile Shatzkin, vrouw
van de overledene, identificeerde ook Faulkner. Jacques
Shatzkins identificatie was positief. Shatzkin was agent
voor genoemd schrijver en had hem eerder ontmoet.
Faulkner was uitgenodigd voor een diner ten huize van
slachtoffer om enkele zaken te bespreken. Hij kwam volgens overledene en diens vrouw te laat, schoot zonder iets
te zeggen op Shatzkin en ging toen heen. Hoewel slachtoffer niet meer kon doen dan overvaller identificeren, zei
echtgenote dat zij niet wist van enig geschil tussen de twee
mannen, hoewel echtgenoot Faulkner had omschreven
als zijnde gemelijk tijdens hun ene, eerdere lunchgesprek. Faulkner werd om 22.10 uur gearresteerd in het
Hollywood Hotel. Hij ontkende iets van Shatzkins moord
of uitnodiging voor een diner te weten en werkte uitzonderlijk slecht mede. Hij erkende twee dagen eerder

(woensdag) met Shatzkin geluncht te hebben. Navraag bij kantoor Shatzkin bevestigde lunchgesprek met Faulkner op woensdag. Doorzoeken van Faulkners hotelkamer, uitgevoerd 04.30 uur, zaterdag 4 januari, in aanwezigheid van brigadier Veldu en twee veiligheidsbeambten van Warners, Lovell en Hillier, leidde tot de ontdekking van een revolver kaliber .38, recentelijk afgevuurd. Volgens Ballistiek werd dit wapen gebruikt om Shatzkin te vermoorden. Faulkner in staat van beschuldiging van moord gesteld om 07.00 uur, zaterdag 4 januari, 1942. Gevraagd om advocaat Martin R. Leib te bellen. Gaf geen verdere verklaring.

Ik had net het rapport gelezen toen de deur openging en Cawelti met de gladde, donkere haren William Faulkner binnenleidde in het kleine kantoortje.

3

Faulkner was een gespierde man van ongeveer mijn leeftijd en lengte. Hij had een snorretje en een humeur zo slecht als een beschimmelde grapefruit. Hij had een bijna Indiaanse neus en diep verzonken, bruine ogen met dikke leden. Zijn gezicht was bruinverbrand en hij hield een zwartgeblakerde pijp tussen zijn dunne lippen. Ik kon onmogelijk zien wat er in hem omging behalve dan dat hij duidelijk misnoegd was over de kamer, de situatie, mij en vermoedelijk het leven in het algemeen. Zijn ogen toonden melancholie, berekening en een onderhuids gevoel voor humor, alsof hij in zichzelf een tragische figuur zag en daar eigenlijk wel genoegen in schepte. Ik kon niet zeggen dat ik hem meteen mocht. Ik vroeg me af of hij vampiergedichten kende.

'Uw cliënt,' zei Cawelti. Hij leidde Faulkner naar de stoel tegenover Phils bureau en liep toen met geveinsde eerbied naar achteren. Faulkner ging niet zitten. Hij bood me geen hand aan. Hij nam de pijp uit zijn mond en bestudeerde me.

'Vergeef me mijn gebrek aan sociale charmes in deze omgeving, meneer eh…'

'Peters,' zei ik. 'Toby Peters. Privé-detective werkzaam voor Martin Leib en naar ik aanneem ook voor Warner Brothers.'

Faulkners stem was wat dieper dan ik me had voorgesteld en had een zuidelijk accent. Ik had moeite om uit mijn woorden te komen. Ik praatte formeel en gezwollen en wist dat ik onnatuurlijk overkwam. Dat effect had hij op je. Faulkner stond achter de stoel en speelde met zijn pijp. Ik liep naar het raam achter Phils bureau en deed of ik naar buiten keek. Aangezien het uitzicht een bakstenen muur was op anderhalve meter en de ruit in geen twee generaties was schoongemaakt, kon ik niet veel zien.

'Ik geloof niet dat ze ons hier veel tijd zullen geven,' zei ik. 'En daarom zou ik het waarderen als u mij uw versie zou willen geven.'

Ik pakte mijn notitieboekje met de versleten spiraal. Er waren nog een paar beduimelde pagina's over, maar ik kon altijd nog de achterkant van een brief gebruiken van een hotel in Fresno dat zich beklaagde dat ik nog steeds niet voor een nachtje had betaald, een eeuwigheid of twee geleden. Ik richtte mijn ogen op Faulkner, die keek alsof hij overwoog me te zeggen dat ik naar de hel kon lopen. Een bijna onmerkbare beweging van zijn schouder deed me vermoeden dat hij een kansje op redding liet prevaleren boven waardigheid. Die zin schreef ik bijna op, maar zoveel papier had ik ook weer niet en het stompje potlood kon het ook niet veel langer meer uithouden. Ook kwam het bij me op dat ik die zin best gelezen kon hebben in dat ene boek van Faulkner dat ik had gelezen.

'Uw verzoek bevat ironie,' zei Faulkner. Hij controleerde zijn pijp op gebreken en had waardering voor de zwarte roet. 'Ik heb zojuist een verzameling verhalen naar mijn uitgever gestuurd, maar geen daarvan is zo bizar als dit hier. Ik was van plan tegen u te zeggen wat ik ook tegen de politie heb gezegd, namelijk dat ik niemand heb vermoord.'

'Ik begrijp hoe u zich voelt,' zei ik en maakte het potloodpuntje met mijn duim scherp zodat ik tenminste iets had om mee te schrijven.

'Helaas heb ik geen medeleven nodig,' vervolgde Faulkner op gedempte toon. 'Ik heb professionele hulp nodig. Ik ben ertoe geneigd vertoornd te doen en op mijn vrijlating te staan, maar iemand heeft zich kennelijk de moeite getroost om dit onmogelijk te maken.'

'U bedoelt dat ze u er ingeluisd hebben?' vroeg ik om bij het gesprek te blijven.

'Bekijk het alternatief eens,' zei hij. 'Dat moet het wel zijn, want anders ben ik waanzinnig, hetgeen ik a priori niet wil uitsluiten gezien de toestand van de wereld, hoewel ik betwijfel of mijn waanzin de vorm zou aannemen van een overval op mijn agent. Ik zou veel eerder een uitgever te lijf gaan. Mag ik voorstellen dat we gaan zitten?'

Ik knikte en hij ging in de stoel tegenover het bureau zitten, waardoor er voor mij alleen Phils stoel overbleef die me nadrukkelijk op straffe van onthoofding was verboden. Ik ging toch zitten. Het gebaar droeg bij tot een professionele sfeer te zamen in een vunzig kamertje en ik had weer iets erbij waar ik me zorgen over kon maken. Faulkner sloeg zijn benen over elkaar en bestudeerde de achterkant van zijn rechterhand. Mijn voeten wilden omhoog gaan naar het bureau. Ik weerstond de verleiding en plantte ze op de houten vloer.

'Mijn verhaal is eenvoudig,' zei Faulkner met zichtbare tegenzin. 'Ik heb Jacques Shatzkin maar één keer ontmoet, bij een lunch in dat restaurant met dat aquariumraam in Sixth Street.'

'Bernstein's Fish Grotto,' vulde ik aan. 'Waarom had u die ontmoeting?'

Faulkner porde met zijn vinger in de as van zijn pijp, maakte zijn vinger schoon met een zakdoekje uit het zakje van zijn tweed colbert, vergewiste zich ervan dat zijn stropdas recht zat en begon zacht te praten.

'Hij belde me op en zei dat hij een regeling voor mij kon treffen die redelijk lucratief zou zijn. Ik heb weliswaar al een agent, maar meneer Shatzkin heeft – had – een goede reputatie en ik kom enigszins geld te kort.'

'Mag ik…' begon ik, maar ik hield op toen ik Faulkners gezicht zag. Dat was een tikkeltje rood geworden.

'Ik lijd niet aan valse bescheidenheid,' zei hij, 'althans, dat maak ik mezelf gaarne wijs. Vorig jaar heb ik nog geen 3200 dollar verdiend. Ik heb een huis en een gezin en ik draag de last van een publiek vermoeden dat ik financieel solvabel ben vanwege een familie-erfenis die niet bestaat en enorme royalties die er nooit zijn geweest. Ik heb slechts één financieel succes gekend.'

'*Pylon*?' probeerde ik. Ik had dierbare herinneringen aan dat boek. Eens had ik er een pornografische foto, een bewijsstuk, in verborgen.

'*Sanctuary*,' verbeterde Faulkner me. 'En het geld daarvan is reeds lang besteed. Ik ben in Los Angeles om emplooi te zoeken bij Warner Brothers met hulp van mijn agent en Howard Hawks. Meneer Warner heeft het tot dusver nog niet opportuun geacht mij een genereus aanbod te doen, dan wel een behoorlijk aanbod. Ik ben nu geneigd op elk aanbod in

te gaan. En toen meneer Shatzkin belde…'
'Waar heeft hij u gebeld?' vroeg ik.
'Bij mijn hotel, de Hollywood,' zei Faulkner. Hij had een lucifer gevonden en zijn pijp aan de gang gekregen.
'Hij heeft u dus gebeld en u heeft elkaar in dat restaurant ontmoet?'
'We hebben elkaar ontmoet in meneer Shatzkins kantoor,' pufte Faulkner. 'Vervolgens zijn wij naar het restaurant gegaan waar ik kreeft naturel heb genuttigd en hij een grote garnalensalade. Hebt u dat?'
Ik schreef het op. Ondanks Faulkners sarcasme was het iets om na te gaan. En misschien haalde het niets uit, zeer waarschijnlijk niet, maar je moet roeien met de riemen die je hebt. Ik kreeg een opwelling om Faulkner te vertellen dat hij zich bij zijn eigen schrijfkunst moest houden en mij mijn werk moest laten doen.
'Meneer Shatzkin bood me de ringen van Saturnus aan, de maan en Biloxi,' vervolgde Faulkner. 'Ik vertelde hem dat ik een en ander met mijn agent zou bespreken en dat ik hem dan het resultaat zou laten weten. We namen in vriendschappelijke sfeer afscheid buiten het restaurant en hij beloofde me dat hij me zou bellen. Dat heeft hij nooit gedaan en ik heb hem nooit weer gezien.'
'En u hebt mevrouw Shatzkin nooit ontmoet?'
'Dat genoegen heb ik nooit gesmaakt,' zei hij sarcastisch.
'Hoe leek meneer Shatzkin?' vroeg ik.
'Leek?' herhaalde Faulkner, waarmee hij duidelijk maakte dat ik het verkeerde woord had gebezigd. 'Een tikkeltje te ernstig, te gedienstig, te vals, precies wat ik in en van Hollywood had verwacht.'
'Hebt u een wapen?'
'Ja, diverse; ze bevinden zich allemaal in Oxford, Mississippi, in mijn studeerkamer. Ze zijn veilig opgesloten; ik heb een dochter van acht. En ik heb geen enkel wapen meegenomen. Ik had er niet op gerekend aangevallen te worden, en ook niet een moord of inbraak te plegen.'
Dat deed de deur dicht. Ik legde de envelop waarop ik had geschreven, neer en keek op. Ik zag dat mijn benen als van-

zelf naar het bureau waren gegaan. Het kon me geen donder schelen.

'Luister, meneer Faulkner. Ik heb mijn werk te doen en u wilt blijven leven, liefst buiten de gevangenis en de kranten, daar ga ik tenminste van uit. We zitten in hetzelfde schuitje. Ik heb het geld dat ik hiermee kan verdienen hard nodig, ik ben redelijk goed in mijn werk, maar ik ben tevens een beetje menselijk. Als u me kietelt en geen littekens aanraakt, lach ik. Als u me martelt en een oude oorlogswond openrijt, dan gil ik het uit.'

'Ik herken de toespeling,' zei Faulkner, 'en kan begrip opbrengen voor uw standpunt. Ik zal proberen wat beschaafder te zijn, maar mijn gedrag wordt door de omstandigheden bepaald. Niet alleen mijn leven is in de soep, maar de ganse wereld. Ik zou nu graag dictator willen zijn. Ik zou alle congresleden die geen militaire maatregelen willen, naar de Filippijnen willen sturen. Ik vermoed dat er over een jaar niet één tweede luitenant meer in leven zal zijn. En hier spelen wij een spelletje met een zinloze moord en ik zit hulpeloos... neem me niet kwalijk, meneer Peters, maar wellicht kunt u nu beter mijn emoties begrijpen.'

'Uw verontschuldiging is aanvaard,' zei ik. Ik was nog steeds niet dol op hem, maar hij leek me nu eerder een mens dan een zuidelijke poseur. 'De schietpartij vond gisteravond rond een uur of negen plaats. Waar was u toen?'

'Zoals ik de rechercheur al heb verteld die me hier naar binnen heeft gebracht,' zei hij trekkend aan zijn pijp om zijn uiterlijke kalmte te herwinnen. 'Ik was aan het werk met Jerry Vernoff, een schrijver. We vertoefden in mijn hotelkamer. Mijn agent, Bill Herndon en ik waren overeengekomen dat ik voor Warner een verhaal zou bewerken, dit in het kader van mogelijk verder emplooi. Meneer Vernoff heeft uitgebreide ervaringen met dit soort bewerkingen en hij heeft de reputatie snel en commercieel te zijn. Ik dacht dat iemand van Warner deze samenwerking naar voren had gebracht. We hebben in mijn hotel gedineerd.'

'Hetgeen het onwaarschijnlijk maakt dat u een zakendiner met Shatzkin zou hebben,' concludeerde ik. Hij knikte instemmend. Ik had geen flauw benul van waar ik mee beginnen moest, maar ik had nu tenminste enkele namen. Ik stopte mijn notitieboekje en envelop in mijn zak en stond op het punt mijn voeten opdracht te geven het bureau te verlaten, toen de deur openging. Als ik naar de geluidsgolven en stemmen in het wachtverblijf had geluisterd in plaats van me over te geven aan mijn baan, had ik Phil Frankensteins tred wel gehoord.

Phil keek naar Faulkner en toen naar mij. Hij werd zo rood als de ketchupvlek op zijn overhemd. Achter hem wachtte Cawelti benieuwd af hoe mijn broer zou ontploffen, als een op hol geslagen ballon of zo. Mijn rechtervoet was in slaap gevallen, anders had ik hem wel naar beneden gedwongen, maar ik kon hem niet bewegen. Phil nam die ene stap tussen deur en bureau en zijn als een dubbele ham zo grote hand daalde in slow motion neer. Ik keek gefascineerd toe hoe hij mijn rechterknie raakte en me uit de stoel tegen de muur sloeg. Ik viel tegen de grond en Phil deed weer een stap naar mij, maar toen klonk Faulkners stem.

'Neem me niet kwalijk, hoofdinspecteur,' zei hij. 'Maar u houdt zich niet aan het scenario. Ik verkeerde in de veronderstelling dat de politie verdachten in elkaar slaat, niet de medewerkers van hun rechtskundige adviseurs.'

Phil bleef staan en richtte zijn blik op Faulkner die hem recht in de ogen keek. De pauze duurde zo lang dat ik overeind kon krabbelen, maar mijn knie deed helse pijn en ik kon bijna niet op mijn rechterbeen staan. Cawelti stond met honende grijns in de deuropening. Phil had dit vanuit zijn ooghoek in de gaten en wist zich nu door drie vijanden omringd. Normaliter zou hij met alle drie van ons de vloer hebben aangedweild, te beginnen met Faulkner die hij als een tak kon breken, waarna hij Cawelti zou vertrappelen om mij als laatste voor iets bijzonders te bewaren, maar de tijd had Phil milder gemaakt. 'Sodemieter op, allemaal.'

Ik strompelde naar de deur. Phil duwde me opzij, liet zich in zijn thans besmette stoel ploffen en begroef zijn hoofd in het Faulkner-dossier. Faulkner volgde me langzaam en Cawelti deed de deur achter ons dicht.

'Hij is mijn broer,' gaf ik Faulkner als verklaring.

Faulkner knikte begrijpend en antwoordde: 'Ja, ik heb ook broers gehad.'

Dat vond ik een zonderlinge manier om iets duidelijk te maken, maar ik legde me erbij neer. Het was plotseling tot me doorgedrongen dat de hele recherchekamer stil was geworden en alle ogen op ons gericht waren. Aanvankelijk dacht ik dat dit kwam omdat ze Faulkner hadden herkend, maar toen drong het tot me door dat Phil een enorm lawaai had gemaakt toen hij me tegen de muur had gekwakt. De stilte duurde enkele hartslagen en toen trok ieder zich in zijn of haar eigen wereld terug.

'Ik neem zodra ik iets heb contact op met meneer Leib,' zei ik tegen Faulkner. Het had geen zin om hem te zeggen dat hij zich niet druk moest maken en dat alles op zijn pootjes terecht zou komen, en dat ik wel binnen twee dagen zijn probleem en dat van Bela Lugosi zou oplossen en en passant Corregidor redden. Ik wist niet eens zeker of ik met mijn kapotte knie wel mijn wagen zou halen.

Cawelti liep voor Faulkner uit en het tweetal verdween in het labyrint van bureaus. Ik probeerde niet te strompelen toen ik een bekend gezicht zag, dat van brigadier Steve Seidman, die opkeek toen ik naar hem toekwam. Hij was een mager, bleek kadaver met zandkleurig haar in een grijs pak, het enige wat ik hem ooit had zien dragen. Misschien had hij thuis wel een kast vol dezelfde pakken. Seidmans sterke punt was zijn onvermogen zich op de kast te laten jagen. Zijn eigenaardigheid was zijn oprechte respect voor Phil.

'Hoe gaat het ermee, Toby?' vroeg hij toen ik tegen zijn bureau leunde en probeerde mijn van pijn vertrokken gezicht te veranderen in iets dat een glimlach leek. Een agent in uniform kwam voorbij met een oude man die met een handboei aan hem vastzat. De oude man schonk me een tandeloze glimlach. Op Seidmans bureau lag een lelijk stuk metaal dat wat weg had van een golfclub. Seidman zag dat ik ernaar keek.

'Gekregen van een medisch student,' zei hij. 'Een vent probeerde hem en zijn meisje te beroven. De medisch student raapte dit handzame, voor vele doeleinden geschikte stuk ijzer uit de goot en sloeg die gozer zijn hersenpan open. Op klaarlichte dag. Een agent in een snackbar aan de overkant zag het gebeuren, maar wilde eerst zijn koffie opdrinken. Als hij wat sneller was geweest, zou hij die overvaller een ingrijpende operatie bespaard hebben en mij een zooi werk.'

'En de pointe?' vroeg ik.

'Phil sterft van het werk,' zei hij.

'Phil is vijftig en zal nooit hoger komen dan hij nu is,' zei ik.

'Chagrijn is voor hem een vorm van leven. Hij is in oorlog en de wereld zit vol vijanden, mij inbegrepen.'

'Je hebt mischien gelijk,' zuchtte Seidman. Ik keek in de ogen van zijn ingevallen gelaat. Die waren even zwart en ver als de nachtelijke hemel. Er was geen verschil tussen iris en pupil. Het was een brede, diepe cirkel naar de oneindigheid.

'Faulkner,' zei ik boven het lawaai uit dat uit een hoek kwam. De geboeide oude man had de agent in de nieren geslagen en de agent had zich bewonderenswaardig beheerst. Hij beperkte zijn toorn tot een elleboogstoot in de maag van de oude man en wat gebrul. Seidman keek emotieloos toe en richtte weer het woord tot mij.

'Die zaak van Cawelti,' zei hij, 'dat is een heel moeilijke voor jou. Een dooie die de moordenaar geïdentificeerd heeft. Een wapen in Faulkners hotelkamer gevonden. Wie zou nog meer kunnen vragen?'

'Ik,' zei ik.

Seidman ging zo zacht praten dat ik hem nauwelijks kon verstaan.

'Idem voor Cawelti,' zei hij. 'Die kijkt niet overal. Hij wil de zaak snel geregeld zien, zijn naam in de kranten, een aai over de bol van Phil en een aardige aantekening op zijn conduitestaat.'

'En hoe zit het met Faulkners alibi?' vroeg ik. Ik zocht naar de keurige dame, maar ze was er niet meer.

'Volgens die schrijver, die Vernoff, is Faulkner even voor negenen in zijn eentje iets wezen drinken,' zei Seidman. 'Tijd zat om een paar borrels in zichzelf te gooien en wat lood in Shatzkin en dan weer vliegensvlug terug naar het hotel.'

'Zo te horen heb jij het daar moeilijk mee,' zei ik.

Seidman trok zijn schouders op. 'Een verdomd gecompliceerde manier om iemand te vermoorden. En geen motief.'

Seidmans ogen gingen omhoog naar Phils deur achter mijn rug. Ik voelde de omvangrijke aanwezigheid van mijn broer. Ik kwam van Seidmans bureau af en strompelde terug naar het wachtverblijf. Ik was anderhalve meter verder toen ik Phils hand op mijn linkerschouder voelde. Ik draaide me om en vroeg me af wat hij deze keer voor mij in petto had.

'Het is een kloteweek geweest,' zei hij zo rustig als in zijn vermogen lag en erg rustig was dat niet. Nog nooit was hij zo dicht bij een verontschuldiging geweest.

'Dat is het altijd,' zei ik.

'Altijd,' beaamde hij, draaide zich om en beende naar zijn kantoor.

De twee Japanse kinderen zaten nog steeds op de bank te wachten tot iemand hen zou wegvoeren en doodschieten wegens landverraad. Coronet, de wachtcommandant, hield hen zo goed in de gaten dat een goede zakkenroller zonder dat hij iets zou merken zijn wapen, zijn uniform en alle roestige kranen en buizen van het bureau had kunnen jatten. Mijn knie bonkte, maar ik haalde de tegelvloer en vandaar slaagde ik erin de deur te bereiken en de kou daarbuiten. In mijn zak bevond zich een gerieflijk voorschot van Martin Leib en wat aantekeningen. Ik liep naar de drugstore op de hoek, kocht wat koffie en cornflakes en probeerde toen te bedenken wat me nu te wachten stond.

De winkeljuffrouw die me van vorige bezoeken nog kende en vermoedelijk in de veronderstelling verkeerde dat ik van het bureau aan de overkant was, bediende me zwijgend, maar haar radio schetterde het nieuws uit. Corregidor sloeg de Jappen terug en de opmars van de nazi's in Rusland was tegengehouden door slecht weer en boze Russen. Dorothy Thompson ging van Sinclair Lewis scheiden en de revanchewedstrijd Joe Louis-Buddy Bear zou zeker over de radio worden uitgezonden. Het was onmogelijk hier te denken en ik had nog zoveel om over na te denken. Ik had een nieuw notitieboekje nodig en tandpasta. Ik kocht een blikje Pepso-dent tandpoeder voor negenendertig cent en voor tien centen erbij kreeg ik bij wijze van bonus Bob Hope's boek *They Got Me Covered*. Ik overwoog naar huis te gaan, mijn knie een heet bad te geven en Hope me te laten opvrolijken.

Ik stapte mijn gevlekte Buick in, ramde de versnellingspook knarsend in de een, schakelde krijsend door en liet alle gedachten aan Carmen en de Florentijnse kamer varen. Ik had andere gedachten. Morgen was het zondag. Als ik nu eens met mijn twee neefjes Nate en Davey *Dumbo* ging zien? Dat zou ik tenminste Ruth en Phil vertellen. In werkelijkheid zou ik ze trakteren op Billings theater waar *Host to a Ghost* draaide en *Revolt of the Zombies*. Ik vertrouwde erop dat de jongens voor hun goeie, ouwe oom Toby wel een leugentje wilden vertellen.

Op weg naar huis begon mijn knie langzamerhand te weigeren het gaspedaal te bedienen en ik maakte een omweg naar het ziekenhuis. Ik liep kreunend de Eerste Hulp in voorbij de rij gewonden naar een vrouw in het wit die achter een vierkant raampje zat. Alleen haar hoofd was te zien. Ze was gewoon niet bijster groot, maar ze leek wel onthoofd.

'Ik wil graag dokter Parry spreken,' vertelde ik het lichaamsloze hoofd met de weelderige rode haardos. 'Hij is mijn neef.'

'Hij werkt hier niet meer,' zei ze. Ik hoopte dat haar handen omhoog zouden gaan om van dat hoofdloze image af te komen, maar dat deden ze niet. 'Heeft dienst genomen.'

Parry was niet mijn neef. Hij was een jonge assistent-arts waaraan ik me had vastgeklampt alsof hij mijn lijfarts was. Ik voelde me zwaar gedeprimeerd en had nu echt behoefte aan een heet bad en Bob Hope.

'Als u even plaats wilt nemen,' zei het hoofd, 'kan iemand anders u behandelen.'

Ik keek om me heen en schatte hoe lang ik wachten moest. Dat zou zo te zien vier weken tot een maand duren. Ik had natuurlijk een grote bek kunnen opentrekken of de kluit belazeren, maar ook daar was ik te gedeprimeerd voor.

48

'Wat is er met u aan de hand?' vroeg het hoofd zakelijk.
'Sterfelijkheid,' zei ik. En met slepende voet schoof ik als
een mummie naar de deur.
Terug in het pension trok ik mezelf aan de trapleuning omhoog in een poging mevrouw Plaut te ontwijken, maar ze
betrapte me toen ik bovenaan was. Ze was zo doof als een
mens maar kan zijn, maar was nog heel kras en mijn geklim
had ze op de een of andere manier toch opgevangen.
'Er is voor u gebeld, meneer Peelers,' zei ze. 'Ik weet niet
meer door wie. Ik geloof dat hij Charlie McCarthy was.
Maar dat kan toch niet.' Haar bijna tachtig jaar oude karkas
draaide zich om. 'O ja, en er is geen heet water. Ik heb weer
vergeten de gasrekening te betalen. Daar zal ik maandag
meteen voor zorgen.'
'Bedankt,' zei ik. Ik beëindigde mijn klimtocht van veertien
treden en hield mijn tas tegen mijn boezem geklemd.
Gunther liep de overloop op en keek bezorgd naar mijn
been.
'Phil,' legde ik uit.
Gunther had Phil eerder ontmoet en hoefde geen verdere
uitleg.
'Geen heet water,' zei hij.
'Ik weet het,' zei ik terug.
'Ik zal water opzetten op de kookplaat,' bood hij aan en hij
verdween in mijn kamer. Ik volgde hem, gooide mijn jas op
de enige half comfortabele stoel in de kamer en trok mijn
kleren uit. Gunther ging terug naar zijn kamer om een kolossale pot te halen. Ik kleedde me uit tot op mijn ondergoed
en zag hem worstelen met de pot, die bijna evenveel woog
als hij zelf, maar ik bood niet aan hem te helpen. Trots dient
gerespecteerd te blijven.
Ik haalde de badkamer, zag dat daar niemand in was en stapte naar binnen. Ik poetste mijn tanden en liet koud water in
de kuip stromen.
Ik las enkele zinnen uit Hope's boek: *Er was een flinke op-
schudding in het kleine huisje naast de familie Barrets in
Wimpole Street. Mijn beste vriend kreeg een baby. Ik…*
Verder kwam ik niet. Gunther sleepte als een miniatuur-

King-Kong het kokende water naar binnen en gooide het in de kuip. Ik klom erin en slaakte een kreet. Gunther klom op de toiletpot en sloeg me geduldig gade.

'Wil je gezelschap of niet?' vroeg hij.

Ik vertelde hem de zaak-Faulkner en vroeg Gunther of hij misschien iemand bij Bernstein's Fish Grotto kon opsnorren die al dan niet Faulkner of Shatzkin had gezien en of hij ook nog even te weten kon komen of Shatzkin gereserveerd had op de dag dat hij Faulkner had ontmoet. Ik zou me concentreren op mevrouw Shatzkin en Vernoff de schrijver. Tevens voelde ik me schuldig ten opzichte van Lugosi en overwoog ten tweeden male om Dave en Nate later op de middag uit te nodigen voor het theater, waar ik enkele minuten met Billings kon doorbrengen.

'Het leven is niet altijd zo verrukkelijk,' zei ik.

'Is dat idioom?' vroeg Gunther serieus, hoog gezeten op de W.C.

'Zomaar wat,' zei ik en trok me op uit de kuip. 'Kom, aan de slag.'

4

Met hulp van Gunther legde ik een strak verband om mijn knie. En met enkele pijnpillen die Shelly Minck me maanden geleden voor mijn rug had gegeven, was ik weer het heertje, vooropgesteld dat ik niet hoefde te rennen en dat niemand tegen mijn knieschijf zou trappen. Ik pleegde enkele telefoontjes. Ik haalde het adres van Jerry Vernoff, de schrijver die de avond tevoren met Faulkner had gewerkt, uit de telefoongids. Ik gebruikte de naam van Martin Leib om Shatzkins adres in Bel Air van Warner Brothers los te weken. Shatzkins kantoor stond wel in de gids.

Ik belde Vernoff op en vertelde hem wie ik was. Hij zei dat hij me over een paar uur in zijn huis wilde ontvangen. Een telefoontje naar Shatzkins kantoor liet me weten dat zijn secretaresse bezig was met de assistentie van de juniorleden van de firma teneinde hun wereld niet te laten springen. Ze heette mevrouw Summerland en ze verwachtte op vermoeide toon pas over vele uren terug op kantoor te zijn. Mevrouw Shatzkin belde ik niet. Die wilde me misschien niet zien. Ik stapte gewoon in mijn duiveëigroene wagen en reed naar Bel Air, waarbij ik de vorst bewonderde die zich op de paar mensen op straat had afgezet.

Bel Air is verschrikkelijk exclusief, maar toch nog binnen redelijke afstand van de studio's. Het heeft zijn eigen politie en eigen privacy. Ik praatte me voorbij de bewaker bij de ingang met het smoesje dat ik van de begrafenisonderneming was die enige zaken 'in het voren' kwam regelen met de familie Shatzkin. Hij was keurig professioneel en medelevend, hetgeen betekende dat hij duidelijk wilde stellen dat het hem niet interesseerde. Mijn wagen wekte zijn wantrouwen op, maar ik vertelde dat ik hem te leen had omdat mijn Rolls in de garage was. Het was een idioot verhaal, maar het visitekaartje dat ik hem gaf: SIMON JENNINGS. BEGRAFENIS SERVICE BRENTWOOD was echt genoeg. Ik had een hele verzameling kaartjes die me eens als betaling waren gegeven door een drukker wiens zus zijn Ford uit 1932 had gestolen.

Ik vond het huis in Chalon Road, een groot, bakstenen geval van drie verdiepingen op een heuvel in een bosrijk gebied. Zeer indrukwekkend. Een chauffeur was bezig met het wassen van een echte Rolls in de open garage en probeerde ondertussen niet te bevriezen. Ik klopte op de deur. Die werd bijna ogenblikkelijk opengemaakt door een Mexicaans meisje in het zwart dat er zo somber uitzag dat ik het niet geloven kon.

'Peters,' zei ik met een strak gezicht, deed mijn portefeuille open om haar mijn vergunning te laten zien in de wetenschap dat ze die toch niet echt zou lezen. 'Ik onderzoek de misdaad. Ik wil graag met mevrouw Shatzkin praten.'

Het meisje deed een stap opzij. Ik stapte naar binnen en ze zei dat ze mevrouw Shatzkin zou halen.

Ik hield mijn hoed in de hand en mijn jas aan en probeerde ondertussen er zo officieel mogelijk uit te zien. Ik bestudeerde wantrouwig de spiegelhal en bleef dat doen, ook toen ik voetstappen achter me hoorde en Camile Shatzkin in de spiegel zag. Ik draaide me om.

'Meneer eh…' zei ze. Ze was een knappe vrouw, donker, gekleed in het zwart en haar haar was uiterst gecompliceerd opgestoken. Ze was een tikkeltje gezet, maar bepaald niet klein. Ze deed me ergens aan mijn vroegere vrouw Anne denken, maar op andere punten was er toch geen enkele gelijkenis. Haar fronsende voorhoofd en handengewring compleet met zakdoek riepen beelden op van Kay Francis in een melodrama. Kay Francis was altijd met iets sluws bezig.

'Peters,' zei ik voor ze een vraag kon bedenken. 'Rechercheur Cawelti heeft met u gesproken, maar sindsdien zijn er enkele punten naar voren gekomen die opheldering vragen.'

'Ik weet niet zeker of…' zei ze en keek achter zich of iemand in het huis haar te hulp kon schieten. 'Het is… allemaal zo vreselijk geweest. Ik weet zeker dat u me begrijpt.'

'Helemaal,' zei ik meelevend. 'Maar dit vergt slechts enkele minuten.'

'Goed dan,' zei ze met een smartelijke glimlach, maar ze bood me geen stoel aan of een vertrek waar we rustig konden praten. We zaten in de op zijn Mexicaans versierde hal.

Ik trok mijn nieuwe notitieboekje uit de drugstore te voorschijn en deed of ik vragen las.

'Wie heeft hier gisteren meneer Faulkner uitgenodigd?' vroeg ik.

'Mijn echtgenoot,' zei ze en sloeg haar ogen naar de grond.

Ik deed of ik dat opschreef en knikte goedkeurend.

'Hoe wist u dat de man die hier gisteravond was, meneer Faulkner was?' vroeg ik zo meelevend als ik maar kon. 'U hebt hem toch nooit ontmoet?'

'Nou ja,' zei ze zenuwachtig, 'ik heb zijn foto gezien op zijn boekomslagen en in de krant en Jacques had me verteld dat hij zou komen. Ik herkende hem zodra hij naar binnen liep. Ik…'

Ze stond gereed in elkaar te storten, maar ik schoot haar te hulp.

'Ik begrijp het wel, mevrouw Shatzkin. Maar we moeten er zeker van zijn. Kunt u deze foto hier identificeren als zijnde van meneer Faulkner?' Ik trok mijn portefeuille en pakte een fotootje dat ik haar overhandigde.

'Dat is hem,' zei ze snikkend en gaf me de foto terug.

'Weet u het zeker?' zei ik en nam de foto weer aan.

'Ik zal dat gezicht nooit vergeten,' zei ze. Ze bedekte haar ogen.

De verdediging van Faulkner was een stap verder gekomen. De foto die ze had geïdentificeerd, was er een van Harry James die samen met de portefeuille in de drugstore werd verkocht. Ik besloot mevrouw Shatzkin onder druk te zetten.

'We hebben een foto van meneer Shatzkin nodig,' zei ik en stak mijn notitieboekje weg.

'Er zijn geen foto's van Jacques,' zei ze bedroefd. 'O God, ik wou dat ik ze had. Hij hield er niet van gefotografeerd te worden.'

'Iedereen heeft toch ergens een foto van zichzelf,' zei ik. 'En toch zeker zo'n belangrijke man als uw echtgenoot was.'

Wantrouwen vlamde op in de ogen van Camile Shatzkin.

'Hebt u soms een foto en een identiteitsbewijs van uzelf, meneer Peters?' vroeg ze. 'Ik wil er graag zeker van zijn dat u

geen verslaggever bent die munt probeert te slaan uit mijn verdriet.'
'De enige foto die ik van mezelf heb is toen ik tien was,' zei ik en tastte naar mijn portefeuille in de wetenschap dat ik geen identiteitsbewijs bij me had dat haar tevreden kon stellen.
'Misschien vinden we wel een foto van Jacques toen hij tien was,' zei ze. De smart van de weduwe had plaats gemaakt voor vastberadenheid. Kay Francis was niet van plan zich te laten kisten. 'Uw identiteitsbewijs, graag.'
Ik pakte mijn licentie als privé-detective en liet die haar zien.
'U hebt gezegd dat u van de politie was,' siste ze tussen blanke, gelijkmatige tanden.
'Nee, dat heb ik niet,' zei ik. 'Daar zijn uw meisje en u zelf van uitgegaan. Ik werk voor de advocaat van meneer Faulkner en…'
'Haliburton,' gilde ze en haar boezem zwoegde als van een coloratuurzangeres.
Een enorme gedaante in een zwarte sweater met een uit graniet gehouwen gezicht, snelde van de achterkant van het huis de hal in. Hij keek van Camile Shatzkin naar mij en wachtte op zijn orders.
'Rustig nou,' zei ik. Ik stak mijn handen omhoog en wist dat ik met mijn kapotte knie geen kans had om er vandoor te gaan. 'Wij zijn per wet gemachtigd om vragen te stellen. We hadden de officier van justitie kunnen inschakelen, maar…'
'Haliburton,' zei ze vastberaden en stapte de hal uit.
Haliburton had duidelijk zijn leven doorgebracht met het optillen van auto's, die hij dan keurig op een plank zette. Zonder emoties en vrijwel geluidloos kwam hij op me af.
'Haliburton,' zei ik. 'Ik weet wanneer ik het gehad heb. Ik vertrek.'
Zijn hand greep mijn nek en duwde me naar de deur. Zonder na te denken stootte ik mijn linkerelleboog in de richting van zijn gezicht, maar ik trof hem tegen de adamsappel en hij liet me los. Ik scharrelde naar de deur en trok zonder om te kijken mijn been met me mee. Het was mijn bedoeling om te rennen, maar het had meer weg van zaklopen. Toen ik bij

het portier van mijn auto was, hoorde ik de deur opengaan. De chauffeur bleef staan, veegde zijn handen af en keek vanuit de garage toe hoe ik het portier openmaakte en op slot deed net toen Haliburton de knop te pakken had. Hij was zichtbaar woedend.

'Zand erover,' zei ik en liet de koppeling opkomen net toen hij probeerde zijn vuist door het dak te slaan. Ik kon de deuk zien. Snel reed ik achteruit de oprit af, waarbij ik enkele goed verzorgde struiken van het leven beroofde. Haliburton moest de tuinman zijn geweest, want mijn aanval op zijn struiken riep het slechtste in hem op. Hij denderde over de oprit naderbij en raapte ondertussen een grote steen op. Op Chalon Road kreeg ik de wagen recht en slaagde erin hem te ontwijken toen ik optrok. De steen raakte de motorkap, buitelde verder over de voorruit en schoot toen de lucht in op weg naar Uranus. Ik verliet Bel Air en zag de donkere gedaante van Haliburton kleiner worden in mijn spiegel.

Al weer een dag voorbij, al weer een vriendschap gesmeed. Dale Carnegie had me voor een habbekrats kunnen huren als negatief voorbeeld. Maar ik had iets geleerd. Dacht ik.

Hoewel ze later misschien iets geloofwaardiger kon overkomen in haar identificatie, had Camile Shatzkin, die William Faulkner had aangewezen als moordenaar van haar echtgenoot, het verschil niet geweten tussen de schrijver en de trompetspeler. Ik neuriede *You Made Me Love You* om maar niet aan mijn knie te hoeven denken en reed over Sunset Boulevard naar het kantoor van Jacques Shatzkin.

Jacques Shatzkins Agency bevond zich op de bovenste verdieping van een twee verdiepingen tellend gebouw op Sunset, niet ver van Bel Air. Het souterrain bevatte enkele elegante winkels: een modezaak en The Hollow Bean, met geïmporteerde artikelen. De houten trappen waren helder en gelakt. Elk van de tweeëntwintig treden zond een zigzaggolf van pijn door mijn verbonden been. De kunst was trappen te vermijden en het been recht te houden.

De receptie achter de zware houten deur was schoon, fris en gerieflijk. Hij was zeker zo groot als de werkkamers van

Shelly en mij bij elkaar en had nog ruimte over voor een station. Ik zag geen receptioniste, maar hoorde stemmen links van mij door een open deur. Ik had een goed overzicht van het interieur van Shatzkins kantoor: elegant, gezellig. Tapijten, dik en donker; stoelen, laag en zacht. De bureaus waren glanzend geboend; de muren waren lichtbruin. Aan het plafond hingen neonlampen. Die deden me denken aan een begrafenisonderneming, op de foto's na van cliënten en bijnacliënten en vrienden van de overledene. *Voor een beste kerel – Frank Fay, Voor mijn vriend Jacques – Edward Everett Horton, Ik zie hier niets grappigs in – Robert Benchley, Voor een vent die te vertrouwen is – Preston Foster.*

'En ze hebben het allemaal gemeend,' sneed een stem door mijn gedachten. Ik draaide me om en zag een spriet van een vrouw, iets uitgedroogds van in de vijftig, met kort, bruin haar en een dappere glimlach op haar gelaat. Ze was niet mooi en ook niet lelijk. Ze was gewoon een gezicht in de menigte, maar haar efficiency was zichtbaar in haar rechte rug, keurig blauw mantelpakje en handen die ze voor zich gevouwen hield.

'Juffrouw Summerland?' vroeg ik.

'Mevrouw Summerland,' verbeterde ze me. 'Die foto's zijn er niet voor de show, meneer Peters… u bent toch meneer Peters?'

'Inderdaad,' bekende ik.

'Meneer Shatzkin was een heel aimabel mens,' zei ze vol genegenheid en te veel zelfbeheersing.

'Ik zal niet veel van uw tijd vergen,' zei ik.

'Dat is geen probleem,' zei ze en deed een stap naar achteren. 'Komt u alstublieft binnen. Enkele medewerkers van ons gezelschap zijn momenteel aan het vergaderen. Ze maken zich zorgen over de toekomst. Maar ik klamp me liever nog een paar dagen aan het verleden vast.'

Ik liep langs haar het kantoor in, dat klein was en net zo gezellig uitgevoerd als de receptie. Ze liep om haar bureau heen, maar ging niet zitten. Ik zonk neer in de stoel in de wetenschap dat ik naar haar op zou moeten kijken, wilde er een gesprek komen. Ik zag dat ze zich zo prettiger voelde, en

wilde niet dezelfde fout maken als bij mevrouw Shatzkin.
'De politie denkt dat William Faulkner meneer Shatzkin
heeft vermoord,' zei ik.
'Dat weet ik,' antwoordde ze op effen toon.
'Ik vertegenwoordig meneer Faulkner. Die zegt dat hij het
niet gedaan heeft. Had daar geen enkele reden voor. Kende
meneer Shatzkin amper.' Ik hield mijn mond en keek op,
wachtend op haar reactie.
'Zover ik weet,' zei ze, 'en zoals ik ook die politieman heb
verteld, hebben ze elkaar maar één keer gezien, tijdens die
lunch.'
Ik viste mijn notitieboekje uit mijn jas en begon aantekeningen te maken.
'Is die lunch prettig verlopen?' vroeg ik.
'Ik zou het niet weten,' zei ze. 'Ik was er niet bij en ze zijn
niet naar het kantoor gegaan, althans, meneer Faulkner
niet. Die heeft alleen maar gebeld om een afspraak te maken
met meneer Shatzkin. Het staat daar in de agenda van meneer Shatzkin, als u het zelf wilt zien. Eén uur: lunch met W.
Faulkner, op donderdag.'
'Ik geloof u wel,' zei ik. 'Weet u ook waar ze gegeten hebben?'
'Nee,' zei ze.
'Was Bernstein's Fish Grotto een zaak waar meneer Shatz-
kin regelmatig at?'
Ze keek verbaasd en schudde haar hoofd.
'Ik heb hem nooit over die zaak horen praten. En ik betwij-
fel of hij daar uit zichzelf naar toe was gegaan als meneer
Faulkner er niet op had gestaan. Het is bepaald niet in de
buurt en meneer Shatzkin was niet zo verzot op vis.'
'Nog een paar vraagjes en dan ben ik weer weg,' zei ik glim-
lachend. 'Weet u ook wat het onderwerp van gesprek was
tijdens die lunch?'
'Meneer Peters, waarom vraagt u dat niet aan meneer
Faulkner?'
'Omdat sommige zaken niet kloppen,' zei ik. 'Ik weet niet precies wat er mis is, maar iets zit er goed scheef, nog schever dan
de ogen van mijn oude natuurkundeleraar op school.'

'Ik weet niet waar meneer Faulkner over had willen praten, maar ik neem aan dat hij wilde dat meneer Shatzkin hem zou vertegenwoordigen.'

'Goed,' zei ik en ging staan. 'Hebt u tussen twee haakjes een foto van meneer Shatzkin?'

'Nee,' zei ze nadrukkelijk. 'Er was er een op zijn bureau, maar mevrouw Shatzkin stuurde haar manusje-van-alles Haliburton om zijn spullen op te halen, met inbegrip van de trouwfoto op zijn bureau.'

Ze had me nu zoveel aanwijzingen gegeven dat ik wel door moest gaan. Ze had extreem veel nadruk gelegd op de woorden mevrouw Shatzkin en haar manusje-van-alles. Ook was daar de onderliggende suggestie dat de weduwe had moeten wachten tot het lijk voldoende was afgekoeld, laten we zeggen minstens tot aan de grote schoonmaak.

'Mevrouw Shatzkin heeft meneer Faulkner aangewezen als de man die haar echtgenoot heeft doodgeschoten,' zei ik.

Mevrouw Summerland haalde haar schouders op.

'Ik denk dat ze liegt of zich vergist,' zei ik.

'Dat is allebei mogelijk,' zei mevrouw Summerland en ze keek me recht in de ogen. 'Maar wat niet mogelijk is, is dat meneer Shatzkin gelogen heeft, of hij nu stervend was of niet. Als hij heeft gezegd dat Faulkner hem heeft neergeschoten, dan is dat de waarheid. Meneer Shatzkin was een kalme, rustige man. Hij was niet zo'n vlotte babbelaar als die…' Haar rustige gezicht stond op het punt in tranen uit te barsten, en dat wilde ze niet, althans niet waar ik bij was.

'U hebt me erg geholpen,' zei ik en deed de deur dicht net toen haar hoofd zakte.

De zon was bijna zichtbaar toen ik naar buiten strompelde. Het was iets warmer, maar ook weer niet zo warm dat ik mijn jas weer opnieuw aan Hy O'Brien kon verkopen. Ik had langzamerhand voldoende informatie om te weten dat er inderdaad iets loos was.

Mijn volgende stap was een bezoek aan Jerry Vernoff in La Brea in Inglewood. Het was een reeks gekoppelde bunga-lowtjes rond een zwembadje en enkele armetierige palmen die de zon tegenhielden. Ik klopte op zijn deur en wist uit

ervaring dat iedereen die binnen was de klop voelde trillen door de muren.
'Ja?' klonk een stem.
'Peters,' zei ik.
'O, juist,' zei de stem. Ik wachtte enkele seconden. Toen ging de deur open en een ietwat weke maar toch redelijk knappe, grote man met strak, blond haar en een glimlach deed open. Hij had witte tanden. Hij was gebronsd en zijn shirt was opengeknoopt.
'Kom binnen,' zei hij. 'Val ergens neer. Ik moet mijn handen wassen. Ik heb een blik chili opengetrokken en zit onder de troep.'
Hij verdween en ik zocht naar een plek om te zitten. Ik zag een bank en twee stoelen. Ook zag ik een kaarttafeltje waarvan een bureau was gemaakt, en een stoel. Op elk meubelstuk lagen bergen papier en volgeschreven indexkaarten.
'Pak maar een stapel en donder hem opzij,' schreeuwde hij. 'Maar probeer ze wel op volgorde te houden.'
Ik koos voor een van de stoelen. Ik verplaatste twee stapels naar de grond en ging zitten.
'Iets drinken?' schreeuwde Vernoff boven het stromende water uit. 'Bier? Een cola?'
'Graag een cola,' zei ik.
Hij kwam terug met een fles voor mij en een voor zichzelf.
'Ik kan zelfs geen blik chili opwarmen,' zei hij grijnzend.
'Ik ken het gevoel.'
'Nou, zeg het maar,' zei hij en dronk zijn cola voor een derde leeg.
'U werkt met Faulkner?' zei ik.
'Ja, althans bij deze klus. Ik ben free-lancer,' legde hij uit.
'Zie je dit?' En hij maakte met zijn linkerhand een gebaar dat alle pagina's en de muur met boeken omvatte. 'Dat kastje in de hoek zit vol met plotkaarten. Ik heb er wel honderden. Wat zeg ik, duizenden! Als je de mogelijkheden beschouwt van mengen en bij elkaar zoeken, dan heb ik misschien wel een miljoen plots hier in de kamer. Producers en schrijvers huren mij om ze aan de gang te krijgen, dat ze een start hebben, een idee om van uit te gaan. Ik geef ze dan een

59

zooi plots met variaties en kijk of er een lichtje bij ze gaat branden, of ze geïnspireerd worden, vat je. Ze betalen redelijk goed. De laatste paar jaren heb ik er een vaste boterham aan.

'Is het leuk werk?'

Hij trok zijn schouders op en gooide weer een derde van het flesje achterover. Toen wierp hij een grijns op mij.

'Het is te doen, maar ik stop ermee zodra ik een van mijn eigen stukken heb verkocht. En wat vrijdag betreft, ik heb de politie verteld dat Faulkner en ik in zijn hotelkamer zijn geweest.'

'Maar u hebt ook gezegd dat hij rond negenen is weggegaan.'

'Klopt,' zei Vernoff, 'maar dat was om er een paar achterover te slaan. Af en toe raakt Faulkner hem flink. Dat heeft hij overgehouden van zijn laatste bezoek hier.'

'Waarom bent u niet met hem meegegaan?'

Vernoff lachte en ik stortte me op mijn cola.

'Hij had me niet uitgenodigd. Faulkner is nogal eenkennig en om je de waarheid te zeggen geloof ik dat hij het niet zo leuk vond om met mij samen te werken. Ik doe te snel, denk te snel. Ik maak hem zenuwachtig, maar daar word ik verdomme voor betaald. Ik moet hem stimuleren, ik moet hem aan het denken zetten.'

'Vindt u hem aardig?'

'Niet zo,' bekende hij. 'En jij?'

'Ik ook niet,' gaf ik toe. 'Maar ik geloof niet dat hij Shatzkin vermoord heeft.'

'Ik wist niet eens dat hij Shatzkin kende,' zuchtte Vernoff. 'Shatzkin is mijn agent, liever gezegd, hij was het. Ik kan niet zeggen dat hij veel voor mij gedaan heeft, maar het was een aardige vent. Er klopt iets niet in het hele verhaal. Ik besteed er niet eens een plotkaart aan.'

'Misschien kun je een plot verzinnen waardoor we weten wie Shatzkin wel heeft vermoord en waarom,' zei ik. Ik dronk mijn flesje leeg en ging staan.

'O zeker,' zei hij. 'Ik kan een heleboel plots bedenken. Daar zit het allemaal in.' En hij wees naar het kastje. 'Genummerd en al, je kunt het zo pakken als je weet waar je kijken moet. Zeg, het is tijd voor de lunch. Zin om een stukje chili mee te eten en een krop sla?'

Daar had ik wel zin in en we liepen naar zijn keuken die een verlengstuk was van zijn huiskamer. Ook hier bergen papier, kranteknipsels, boeken en aantekeningen. Hij maakte twee plekken vrij op de tafel en serveerde de chili direct in twee kommen uit een smerige, aangekoekte pan. Vernoff vertelde me over zijn avonturen met schrijvers, zoals een zuippartij met F. Scott Fitzgerald, die bij hem thuis was geweest, een blik had geworpen op de troep en vervolgens het een week lang op een zuipen had gezet. Op mijn beurt vertelde ik Vernoff enkele van mijn beroemdste zaken, zoals het probleem van Bela Lugosi.

'Ik heb ongeveer tweehonderd kaarten met vampierplots plus variaties,' zei hij en morste chili op een exemplaar van American Mercury. 'Ik kan een vampierscript in vijf dagen doen… nee, drie, maar niemand wil meer vampierverhalen. Ze willen oorlogsverhalen. Dat heb ik Faulkner duidelijk proberen te maken, maar hij was zo melancholiek over die oorlog en over een broer die bij een vliegtuigongeluk was omgekomen. Ik mag wel zeggen dat ik hard heb moeten werken voor mijn centen.'

Ik at mijn kom leeg, we gaven elkaar de hand en hij vroeg of hij me van tijd tot tijd eens mocht opbellen om plots te distilleren uit mijn zaken. Ik vertelde hem dat ik dat best vond, en liet hem achter met de vuile vaat en het zoeken naar zijn schrijfmachine die hij ergens had neergezet.

Ik reed naar huis omdat ik daar gemakkelijker kon parkeren dan bij mijn kantoor en omdat ik Gunther wilde spreken. Ik passeerde mevrouw Plaut op weg naar boven en zei: 'Goede middag.'

Ze glimlachte terug en gaf het gebruikelijke onzinnige antwoord: 'U hebt er anders niet veel moeite voor gedaan.'

Gunther was in zijn kamer, die eruitzag als het model voor een advertentie in Good Housekeeping. Alles stond op zijn plaats en was schoon. Al zijn boeken stonden keurig gerangschikt, precies op een rij, en zelden lag er meer op zijn bu-

reau dan een boek of twee en een manuscript.
'En, Gunther,' vroeg ik, 'hoe is het gegaan?'
Hij pakte zijn notitieblok en las voor:
'Noch Shatzkin, noch Faulkner heeft bij Bernstein's gere-
serveerd. Zo ze daar geweest zijn, is dat op de bonnefooi
gegaan. Niemand heeft hen herkend of weet zich hen te her-
inneren. Kreeft naturel en de garnalensalade staan natuurlijk op het menu.'
Hij legde zijn notitieblok weg en keek me aan. Ik leende een
paar muntjes van hem, liep naar beneden voor de telefoon
en belde het bureau Wilshire op. Ik vroeg naar mijn broer.
'Pevsner,' gromde hij.
'Broeder van Pevsner, zoon van Pevsner, kleinzoon van
Pevsner,' antwoordde ik.
'Wat moet je, verdomme? Wacht even.' En kennelijk tegen
iemand in zijn kamer: 'Sluit hem dan niet op. Neem hem
mee naar boven en ondervraag hem een beetje voor je hem
laat gaan... Oké Toby, wat is er?'
'Luister,' zei ik. 'Ik heb een paar vragen in die zaak van
Shatzkin en misschien kunnen jullie er iets mee doen.'
'Waarom neem je geen contact met Cawelti op?' zei hij.
'Wil je alsjeblieft even luisteren?' gilde ik. 'Door jouw
schuld strompel ik door die verdomde stad. Het minste wat
je kunt doen is luisteren.'
'Ik luister, maar schiet wel op,' zei hij. Het was de leeftijd, of
anders de oorlogsdreiging. Hij had waarachtig gereageerd
op een emotioneel pleidooi. Ik werd er ongerust door.
'Ik heb met mevrouw Shatzkin gesproken. Ze doet of ze kapot is, maar dat is ze niet. Ze heeft Faulkner in haar hele
leven nog nooit...'
'Gezien. Op die ene keer na dat hij naar binnen stapte en
haar man neerschoot,' maakte Phil de zin voor me af.
'Maar hoe wist zij dat dat Faulkner was? Toen ik haar een
foto van Harry James liet zien, bezwoer ze me dat dat Faulkner was.'
'Een verwarde vrouw die veel aan haar kop heeft,' zei Phill.
'Een verwarde vrouw die een deel van haar eerste ochtend
als bedroefde weduwe heeft besteed aan het verdonkerema-

nen van foto's van haar man. En waarom zou ze dat doen?'
'Ze wil niet aan haar smart herinnerd worden,' zei hij. 'Is dat alles wat je hebt?'
'Waarom is Shatzkin met Faulkner naar Sixth Street gegaan om een hapje te eten? Dat is niet in de buurt van zijn zaak en hij houdt niet van vis. Het lijkt me dat hij ergens wilde zijn waar hij niet herkend kon worden.'
'Dat kan wel zo lijken voor jou,' zei Phil, 'maar voor een jury en voor mij lijkt het dat hij bij Bernstein's is wezen eten. En wat heeft dit met de zaak te maken?'
'Faulkner beweert dat Shatzkin hem heeft gebeld voor die afspraak,' zei ik. 'Maar volgens Shatzkins secretaresse is het Faulkners idee geweest.'
'We hebben Faulkner niet opgepakt vanwege geheugenverlies of leugens over zijn zaken.' Phil was weer gaan grommen.
'Oké.' Ik speelde nog een troef uit. 'Volgens Faulkner was Shatzkin een lawaaierige, opdringerige knuppel met een te snelle babbel. Maar volgens Shatzkins secretaresse was de dode de zachtheid zelve.'
'En wat moeten we daarmee?' wilde Phil weten. 'We hebben nog steeds de verklaring van de overledene. Ik heb hem hier voor me liggen.' Ik hoorde hem enkele papieren verschuiven en toen las hij voor: 'Agent Bowles: "Rustig nu maar, meneer." Shatzkin: "Faulkner heeft me neergeschoten. William Faulkner. Waarom?" Agent Bowles: "Toe nou, meneer, rustig blijven." Mevrouw Shatzkin: "Agent, het is inderdaad Faulkner geweest. Die kwam naar binnen en schoot zomaar Jacques neer. Zomaar." En bovendien hebben we het wapen in Faulkners kamer gevonden.'
'Iemand probeert de schuld op hem te schuiven,' zei ik.
'O, wat uniek!' gromde Phil.
'En geen motief,' zei ik.
'Vertel je verhaaltje maar aan Dick Tracy,' zei hij en hing op.
Ik investeerde nog een munt en belde Vernoff op. 'Ik heb nog iets vergeten te vragen,' zei ik. 'Waarom is Faulkner rond negenen weggegaan? Waarom niet eerder of later? Of

was dat toeval?'

'Dat weet ik niet meer,' zei Vernoff. 'Ik denk dat hij zoiets zei als dat hij er even uit wou en dat hij over een uurtje terug zou zijn.'

'Bedankt,' zei ik en hing op. Ik moest nog eens met Faulkner praten en ik was Bela Lugosi een dag werk schuldig. Enkele pijnpillen van Shelly brachten me weer naar het bureau. Deze keer werd ik naar de cel gevoerd waarin Faulkner opgesloten zat.

'Volgens meneer Leib bestaat er een kans dat ik op borgtocht vrij kom, ondanks de aard van beschuldiging,' zei hij en legde het boek opzij waaraan hij bezig was. De cipier wachtte ongeduldig naast me.

'Dit duurt maar even,' zei ik. 'Ik heb een paar antwoorden nodig. Wiens idee was het om bij Bernstein te eten?'

'Dat heb ik toch al verteld. Shatzkin,' zei hij ongeduldig.

'Waarom bent u niet naar Shatzkins kantoor gegaan?'

'Omdat hij al de trap af liep toen ik binnenkwam. Hij herkende me. We draaiden ons om en liepen naar buiten. Ik begrijp de zin van deze vragen niet.'

'Ik weet niet eens of ik het begrijp,' zei ik. En het was duidelijk dat de dikke cipier er ook geen snars van begreep.

'Shatzkin heeft u opgebeld en een afspraak voorgesteld?'

'Klopt.'

'Toen u vrijdagavond samen met Vernoff aan het werken was, wie heeft toen voorgesteld rond negen uur even een pauze in te lassen?'

'Ik geloof dat ik het heb voorgesteld. Ik kon de man nauwelijks uitstaan en ik kon hem niet langer in mijn nabijheid verdragen. Samenwerken met hem was een idee van de studio, bepaald niet van mij. Weet u, hij heeft me zelfs verteld dat hij *As I Lay Dying* tot 150 plotkaarten kon terugbrengen. Die man is een bedreiging voor de creativiteit.'

Ik nam afscheid van Faulkner, weerstond de verleiding om de cipier onder zijn vijf kinnen te kietelen en strompelde naar buiten met het gevoel dat ik iets had, maar ik wist bij God niet wat.

5

Op de terugweg naar Hollywood stopte ik bij een wasbeer, keek toe hoe enkele kerels in blauwe uniformen er niet in slaagden om mijn bespikkelde Buick in een pompelmoes te veranderen, betaalde mijn negenenveertig cent en besloot toen me tot de zaak-Faulkner te beperken. Ik zou Lugosi terugbetalen voor elke dag dat ik niet voor hem werkte. Ik had het geld nodig, maar ik had bijna geen aanknopingspunten en dat wat ik had, was flinterdun.

Ik reed over Van Ness toen ik in de gaten kreeg dat ik werd gevolgd. Het was een donkere tweedeurs Ford, ongeveer een straat achter me. De lucht was snel betrokken en dit beloofde regen en daarmee mijn wagen die extra wasbeurt waar hij nu geen behoefte meer aan had. Door de plotselinge duisternis kon ik moeilijk zien wie er aan het stuur van de Ford zat. Ik sloeg bij Santa Monica rechtsaf en toen links op Western, waarna ik langzaam reed. En jawel, daar verscheen de Ford. Hij zocht dekking achter een vrachtwagen die Rainer Beer vervoerde. Ik reed verder over Fountain en draaide een rondje om het blok, zo snel dat er bijna twee wielen los van de grond kwamen en ik in de rats zat dat een diender me zou aanhouden. U.S. Rubber adverteerde paginagroot in tijdschriften en kranten met de boodschap dat 'elke ons rubber zolang de oorlog duurde een aan ons toevertrouwde schat was,' waarmee we niet te luchtig mochten omspringen. Ik had zelfs een exemplaar van hun gratis boekje *Vier Vitale Plekken*, waarin adviezen werden gegeven hoe je het langst met autobanden kon doen, maar ik beschouwde dit toch als een noodgeval. Arnie, mijn nekloze monteur in Eleventh, kon me nog altijd, als de nood aan de man kwam, opnieuw gecoverde banden bezorgen. Mijn rechterspatbord rammelde zo hard dat een oude man die zijn hond uitliet ervan schrok. Ik haalde het rondje in tien seconden. Gezien het tempo van mijn achtervolger had ik nu vlak achter hem moeten zitten, maar dat was niet het geval. Hij was verdwenen. Ik reed enkele minuten door de buurt en reed toen terug naar huis, het pension op Heliotrope.

Ervan uitgaande dat de donkere Ford geen fantoom uit mijn verleden was – en van die vooronderstelling mocht ik eigenlijk niet uitgaan – was het zeer waarschijnlijk dat de Ford iets met de zaak-Faulkner te maken had. Ergens op deze drukke zaterdag had ik een gevoelige snaar geraakt. Maar waarom moest ik achtervolgd worden? Om te zien waar ik naartoe ging? Met wie ik een gesprek zou hebben? Het kon. In dit stadium leek het me toch onwaarschijnlijk dat ik op een lijstje van potentiële slachtoffers stond, maar je kon niet weten.

Ik parkeerde mijn wagen een straat van mijn pension af, pakte mijn .38 uit het handschoenenkastje, vergewiste me ervan dat hij het nog steeds deed, stopte hem in mijn zak en stapte uit. Toen ik twee meter van de auto was, kreeg de regen me te pakken. Het was een koude regen die dwars door mijn kleren sloeg en ze loodzwaar maakte. Mijn knie verbood me hard te lopen en dus ploeterde ik maar verder en gaf alle plannen voor een aanval op Carmen, later die avond, op.

Toen ik bij de veranda kwam, zag ik eruit als een enorme spons. Mevrouw Plaut keek stralend omlaag toen ik de trappen opsjokte. Ze leunde tegen de muur.

'Goed voor de meibloempjes,' zei ze.

'Het is pas januari,' zei ik. 'Geen april.'

Ik trok mijn jas uit om minder gewicht omhoog te hoeven sjouwen.

'U bent weer gebeld, meneer Peelers.'

'Was het weer Charlie McCarthy?' vroeg ik.

'Nee,' zei ze, 'Beela Loe-gosji.' Ze sprak het correct uit. 'Ze had een heel vreemd accent.'

'Hij, mevrouw Plaut,' verbeterde ik haar. 'Het is een man.'

'Ik geloof dat ze uit Noorwegen kwam,' zei ze.

'Hebben Noren dan een ander accent dan Zweden?' Het was eruit voor ik het in de gaten had.

'Zonder twijfel Noors,' zei ze en glimlachte tegen de regen.

De trap was eenzaam, hoog en steil, maar ik had iets beloofd en dus ging ik naar boven, jas in de hand, het hart in mijn schoenen, mijn hersenen malend als bezeten.

Ik viste Lugosi's nummer uit mijn druipende portefeuille en belde vanuit de overloop. Een kind nam op.
'Is meneer Lugosi thuis?' vroeg ik.
'Hallo,' herhaalde hij opgewekt.
'Is hij thuis?' probeerde ik. 'Of iemand anders die langer is dan een meter?'
'Hij is bezig met een film. Hij is dokter.'
Niemand nam de jongen de telefoon uit handen.
'Hallo,' gilde ik.
'Meneer Peters,' zei een vrouwenstem.
'Klopt,' zei ik.
'Meneer Lugosi is nu in de studio. Bij Monogram. Ze zijn bezig met opnamen. Hij wilde weten of u daarnaar toe kon gaan. Hij zei dat het belangrijk was.'
'Waar gaat het over?' vroeg ik. Ik deed mijn natte colbertje uit en zag de waterstroompjes die mijn kleren op de trap hadden achtergelaten.
'Dat heeft hij niet gezegd,' zei de vrouw. Ze had een aangename stem, efficiënt en krachtig en ze negeerde het ventje op de achtergrond dat iets wilde hebben dat als 'Skpoesj' klonk. Ze vertelde me waar Monogram was, maar die informatie had ik niet nodig. Ik had een bad en een grote handdoek nodig. Ik bedankte haar, hing op en sleepte me naar mijn kamer, waar ik een tapijt van natte kleding op de vloer drapeerde. Twee dagen geleden had ik nog plannen gehad om een habbekrats aan de benzinepomp te verdienen. Nu dreef ik in cliënten en water.
Tien minuten later vermande ik mezelf, vernieuwde mijn verband, gooide een paar van Shelly's pijnpillen achterover en trok mijn tweede pak aan dat te licht voor dit weer was en te vuil voor de maatschappij. Ik probeerde niet aan de regen te denken die mijn slechte rug liet weten dat die moest oppassen. En misschien slaagde ik daarin. Misschien is de oude theorie dat een lichaam maar één grote pijn tegelijk kan verwerken, waar. Nu ik daaraan dacht, het was niet eens mijn theorie. Ik had hem vernomen tijdens een zonderling hoorspel over een waanzinnige geleerde; die martelde een meisje dat hij in een gorilla wilde veranderen. Ik zou Phil toch eens

de volgende keer dat hij me met een bureau wilde slaan, over die theorie moeten vertellen.

En toch wachtte ik, kijkend naar de gutsende regen, in de wetenschap dat ik zeker nog een straat moest lopen eer ik bij mijn wagen was en dat mijn jas me geen enkele beschutting zou bieden. Een grote kom noten met gepofte rijst en te veel suiker hielp me een handje. Ik voelde me beter, maar mijn denken was er bepaald niet beter op geworden. Het zag er-naar uit dat de regen zou ophouden of althans even een pauze nam om ook een hapje te eten. Ik sprak mezelf krachtig toe. Ik had het over verantwoordelijkheid en de noodzaak van een financieel herstel en aldus opgepept stapte ik de elementen in, waarbij ik ondertussen uitkeek naar een donkere Ford. Er stonden er een paar op de straat geparkeerd, maar ze hadden daar al gestaan toen ik aankwam. Bijna alle wagens op aarde hadden een egale, donkere kleur, op die van mij na. En een heleboel van die auto's waren Fords.

Ik stopte om te tanken bij een pomp op North Broadway en reed toen over het Los Angeles River-viaduct. Ik herinnerde me de lessen van lang geleden op school, dat dit eens het hart was geweest van een Indianendorp, de woonplaats van de Gabrielino-Indianen. Dat was een vertakking geweest van de grote Uto-Azteken die zich over Noord-Amerika hadden verspreid van Idaho in het zuiden tot aan Centraal-Amerika. Op de plaats waar nu Los Angeles lag, hadden zich eens achtentwintig Indianendorpen bevonden.

Deze Indianen, zo had ik geleerd, behoorden tot de vreedzaamsten van Amerika. Ze voerden zelden oorlog. Diefstal kwam niet voor en moord en incest werden met de dood bestraft. Ze geloofden in een godheid, Qua-o-ar, wiens naam nimmer hun lippen passeerde behalve gedurende belangrijke gebeurtenissen en dan nog slechts gefluisterd. De mannen droegen zelden kleren en de vrouwen hadden alleen een hertevel om hun middel. Als het slecht weer was, hulden de Indianen zich in zeeotterbont. Hun woningen leken op bijenkorven en waren in feite geweven matten. Ze kenden geen landbouw en wisten niet hoe ze dieren voor zich konden laten werken. Ze leefden van wortels, eikels, wilde salie en bessen en – als ze geluk hadden – slangen, knaagdieren en sprinkhanen. Als wapen gebruikten ze een knuppel of stok. Ze wisten niet hoe ze een boog moesten maken. Los Angeles was in een paar honderd jaar een eind veranderd.

Monogram anno 1942 was een bloeiende, op losse basis werkende filmmaatschappij die een bescheiden studio bezat en veel filmde in de omringende bossen om geld te besparen. Ze hadden geen groot, chique hek en geen regiment van geüniformeerde bewakers, maar ze deden hun best de schijn op te houden. Een oude man met grijs jasje en pet, die eruit zag alsof hij een eeuw te paard had gezeten, liep snel naar mijn wagen toen ik remde.

'En?' informeerde hij.

'Precies,' zei ik. 'Ik heb een afspraak met Bela Lugosi. Ik werk voor hem.'

'Peters?'

'Klopt.'

'Hij zei dat u zou kunnen komen. Ik dacht eerst dat hij me besodemieterde. Hij heeft nogal een raar gevoel voor humor.' De oude man wuifde dat ik door kon rijden en zette zijn handen op zijn heupen. Hij glimlachte me na. Het was niet nodig mij te vertellen waar ik Lugosi vinden kon. Zo groot was de zaak niet. Ik volgde gewoon de geluiden uit lage gebouwen, tot ik bij een set kwam die ongeveer de helft was van een vergelijkbare set bij Warner Brothers. Ik parkeerde in een ruimte die gereserveerd was voor Sam Katzman en liep zo snel als mijn zere been het toeliet naar de ingang. Mijn poging snelheid te maken was eerder door een verlangen naar warmte ingegeven dan door de brandende vlijt mijn werk te doen.

Het lampje boven de deur was uit, ten teken dat er niet gefilmd werd. Twee kerels, de één een oosterling, de ander kolossaal, bespraken bij de deur hun verwachtingen van de wedstrijd Chicago Bears versus Pro All Stars die de volgende dag zou plaatsvinden. De oosterling zei iets over Sammy Baugh toen ik naar binnen liep.

Het decor was hel verlicht. Het stelde een nepjungle voor met een hutje. Drie gozers zaten gehurkt rond een camera en te oordelen naar de spanning op hun gezichten waren er problemen. Lugosi droeg een donker pak en was zwaar opgemaakt. Hij zat op een krat buiten de kring van lampen en rookte zijn sigaar. Hij kreeg me in de gaten, ging staan en liep me tegemoet zodat we in de schaduw bleven en de anderen ons niet goed konden zien.

'Ik ben blij, meneer Peters, dat u hebt kunnen komen,' zei hij. 'Ik had u willen bereiken en ik wilde thuis geen boodschap achterlaten om redenen die u wel begrijpen zult.'

Hij was zenuwachtig en dat beïnvloedde zijn accent, dat nu uitgesprokener was. 'Twijfel' klonk als 'twaifel', maar het was duidelijk dat hij in de zorgen zat.

'Voor ik vanmorgen naar de studio ging,' zei hij terwijl hij zijn sigaar uit zijn mond haalde, 'kreeg ik een telefoontje van een man, een onbekende. Hij had een accent. En hij zei: "We gaan je nou pakken. Je hebt nog maar een paar dagen te leven." Toen zei hij dat ik wist wie hij was.'

'We hebben òf een nieuwe speler,' zei ik, 'en dat lijkt me onwaarschijnlijk, òf onze vriend is een stap verder gegaan en heeft zijn tactiek veranderd; hij bedreigt u nu direct door de telefoon.'

'Zal ik de politie bellen en om bescherming vragen?' vroeg hij.

'Dat kunt u proberen, maar ik geef u weinig kans. En de politie kan u trouwens niet altijd bewaken. Dat kan ik zelfs niet doen. We moeten onze vriend zo spoedig mogelijk vinden. Ik zal mijn best doen.'

'Bedankt,' zei Lugosi op ernstige toon en schudde me krachtig de hand.

'Klaar over een paar minuten, Bela,' klonk een stem uit de groep die rond de camera was geschaard. Lugosi zwaaide met zijn hand om aan te geven dat hij klaar was.

Een jonge vrouw met een script in haar hand rende naar de buitendeur en riep de twee mannen naar binnen.

'Neem me niet kwalijk,' zei Lugosi. 'We moeten snel werken. Tijd is geld. Ik ben het duurste onderdeel van de film en ze hebben maar een bescheiden budget.'

Ik liep met hem naar de set, terwijl de oosterling die het over

Sammy Baugh had gehad naar de cirkel van licht ging en daar op Lugosi wachtte.
'Wat is het voor een film?' vroeg ik.
Lugosi schudde triest glimlachend zijn hoofd.
'Een zeer eigentijds epos dat pas vorige week geschreven is en nog niet klaar is. Het heet *The Black Dragon*. Ik ben een plastisch chirurg die Japanners verandert in westerlingen zodat ze Amerika kunnen bespioneren. Tegen het einde word ik hiervoor op ironische wijze gestraft. Dat gaat zo. Ik kijk in de spiegel en zeg tegen mezelf: "Kan het zijn dat jij een Cyrano en Romeo gespeeld hebt?" Het is altijd hetzelfde liedje. Zodra een filmmaatschappij rood komt te staan, komen ze naar mij en zeggen ze: "Oké, we maken een griezelfilm." En daar zijn we vandaag ook mee bezig. Het is trouwens mijn vaste prik. En ik geef waar voor mijn geld. Dat is het belangrijkste.'
Hij trok zijn das recht en nam een laatste trek van zijn sigaar. 'Wat ook het materiaal is, neem het serieus. En praat altijd langzaam, want dan kom je langer op het doek.'
Lugosi ging rechtop staan, dwong zijn gelaat tot een boosaardige grijns en stapte het licht in.
'Zodra ik iets weet, neem ik contact op,' zei ik. Hij knikte ten teken dat hij me gehoord had. Toen schreeuwde een stem: 'Stilte' en ik liep naar buiten.
Ik vond een tacotent, ging in een hoekje zitten waar ik de donkere Ford die me weer had opgepikt in de gaten kon houden, en dacht na. Ik vond dat ik te veel at, vooral als ik met een klus bezig was. En met twee klussen at ik zelfs nog meer. Ik bedacht dat die gozer in de donkere auto misschien niets met de zaak-Faulkner te maken had. Evenzogoed kon hij Lugosi's correspondentievriend zijn. Ik vond dat Los Angeles maar een rare stad was om in te werken en dat de mensen hier op de raarste manieren konden sterven. Ik moest denken aan Billie Ritchie, de imitator van Charley Chaplin; die was bezweken aan inwendige kwetsuren die hij had opgelopen toen hij tijdens een opname door struisvogels werd aangevallen. Ik dacht na totdat dat denken evenveel pijn ging doen als mijn knie, en toen wist ik dat ik ge-

reed was. Ik was gereed voor nog een Pepsi en een laatste taco voor ik weer met de Ford ging dollen.

De duisternis was net ingevallen toen ik hem van me af had geschud. Dat was niet moeilijk, want hij wilde niet te dichtbij komen. Ik nam me voor om hem de volgende dag eens beter te bekijken, als hij tenminste het spelletje weer opnam. Het kon mijn beste aanwijzing zijn.

Thuisgekomen ontweek ik mevrouw Plaut en leende enkele munten van Gunther. De volgende dag was het zondag. Gunther bood aan naar Bel Air te rijden om Camile Shatzkin in de gaten te houden. Hij wilde haar achtervolgen als ze het huis verliet. Ik verwachtte er niet veel van, maar ik was althans door toedoen van Gunther aan het werk. Gunther bezat een Oldsmobile uit '38 met een verhoogde stoel en speciaal verlengde pedalen die door Arnie voor een vriendenprijs waren aangebracht. De wagen was op zich onopvallend, maar een dwerg was wellicht niet de meest aangewezen figuur om iemand te volgen. Ik had echter geen keus. Ik belde mijn poëtische kantoorhospes, Jeremy Butler, en vroeg hem of hij zijn zondag wilde besteden met een surveillance van het huis van Lugosi voor het geval het dreigement echt was. Butler hoorde mijn verhaal aan en hij zei dat hij discreet in de buurt geparkeerd zou staan met een boek in de hand als tijdverdrijf. Een reus is even opvallend als een dwerg, maar, zoals ik al zei, mijn keuze was zeer beperkt en als lijfwacht had Jeremy geen evenknie. Dat kon ik niet van zijn poëzie zeggen. Mijn laatste muntjes gingen naar North Hollywood, waar mijn schoonzus Ruth de telefoon aannam.

'Ruth, met Toby. Ik dacht erover om met de jongens naar een film te gaan, *Dumbo* of zo, als ze tenminste geen andere plannen hebben.'

'Ik weet zeker dat ze het reusachtig vinden, Toby. Hoe laat kom je ze ophalen?'

'Tegen twaalf uur. Ik neem ze eerst mee uit voor de lunch.'

'Ik zal zorgen dat ze klaar staan,' zei ze en hing op.

Onder mij was het zaterdagse pokeravondje begonnen, voorgezeten door mevrouw Plaut. Een gepensioneerde postbode was de eeuwige winnaar. Ik had een keer meegedaan en had de ervaring vergeleken met het theefeestje van Alice. Mijn knie voelde zich beter. Ik deed de lichten uit, stapte in bed en luisterde naar de herboren regen op het dak en mijn radio. Ik hoorde de nieuwslezer zeggen: 'De verdedigers van generaal Douglas MacArthur strijden een verbitterd, maar moedig gevecht tegen een overweldigende meerderheid op het fort van het eiland Corregidor ter hoogte van Manila Bay. Ze hebben met succes de derde bomaanval op het eiland afgeslagen.'

De Chinese legerleiding meldde dat er 52 000 Japanners gesneuveld waren, maar de Japanners hadden toch Tsangsja bezet. De Russen maakten het de nazi's nog steeds verschrikkelijk moeilijk, maar de Britten waren 500 kilometer voor Singapore flink aan het verliezen.

Ik zette de radio af en ging slapen, terwijl ik me afvroeg of er een plek op aarde was waar geen oorlog werd gevoerd. Ik had een drietal dromen. De eerste vond plaats in Cincinnati. Een vampier vloog door de straten en liet alsmaar steentjes vallen. Iedereen die erdoor geraakt werd of er een oppakte, veranderde in steen. De tweede droom had iets te maken met vliegtuigen in een kleine kamer en de derde droom trof me als briljant, iets dat ik meteen morgen aan Jerry Vernoff moest vertellen. Het zou een volmaakte plotkaart zijn. Het ging over een moord in een afgesloten kamer. Het slachtoffer werd doodgeslagen, maar er was geen wapen. Alleen het slachtoffer en de moordenaar. In de droom kwam ik erachter dat de moordenaar, die iets weg had van mijn broer Phil, een kolossale banaan had bevroren, dat als wapen had gebruikt en hem toen met schil en al had opgegeten. Het slachtoffer leek wel iets op mij.

Toen ik wakker werd, tastte ik naar mijn broek en notitieblokje om de droom op te schrijven, maar toen bedacht ik me. Het leek niet zo slim op een zondagochtend met licht dat door het raam filterde en troep op mijn tong.

Mijn knie was pijnlijk, maar deed geen pijn zolang ik hem niet boog. Ik kleedde me aan en at een flinke kom cornflakes terwijl ik de strips bekeek in de *Times*. Red Ryder en Little Beaver waren weer terug in de Vallei der Smarten. Ene 'Sinistere Sjeik' probeerde Tarzan om zeep te helpen. Dixie Dugan probeerde haar vader uit diens gemakkelijke stoel te krijgen en Fritzie Ritz en Phil waren samen aan het wandelen. Joe Palooka was in militaire dienst en Tiny Tim werd in een kruik gestopt door Hoppy. De teksten in de ballonnetjes boven Brenda Starr, Kit Cabot, Spooky en Texas Slim hielden me tijdens een tweede kom cornflakes gezelschap.

Toen ik bij het huisje van mijn broer op Bluebelle in North Hollywood aankwam, liep het tegen het middaguur. De baby kroop door de huiskamer met een slot in haar hand en een grijnsje met vier tanden in haar mond. Nate en Dave stonden klaar om te vertrekken. Nate was twaalf en Dave negen. Ik deed mijn best om hen niet met Phil en mij te vergelijken. Dave was net hersteld van een auto-ongeluk dat Phils magere portemonnee zo mogelijk nog meer had beproefd.

'Heb je gisteren nog iemand gedood, oom Toby?' vroeg Dave opgewekt.

'Doe niet zo stom,' riep Nate geïrriteerd. 'Hij maakt niet elke dag mensen dood. Hij maakt trouwens helemaal niet zoveel mensen dood.'

'Ik maak bijna nooit mensen dood,' beaamde ik.

Ik pakte de baby op die me grinnikend sloeg met het kleine, maar zware slot. Ik grinnikte terug toen Ruth de kamer inliep. Ze zag er als Ruth uit: mager, vermoeid, met bijgekleurd blond haar dat niet op zijn plaats wilde blijven en een zachte glimlach. Ik deed een stap naar voren en zag Phil bij de keukentafel staan met zijn hoofd in de strips, in een poging mijn blik te ontwijken.

'Wat is er met je been gebeurd, Toby?' vroeg Ruth bezorgd.

'Een kogel?' vroeg Dave. 'Waren het de nazi's?'

'Nazi's,' beaamde ik zo hard dat Phil me kon horen. 'Ze vielen me aan terwijl ik niet keek, omdat ik mijn voet op hun geheime spionagebureau had gelegd.'

Ruth schudde haar hoofd in de veronderstelling dat ik een grapje maakte en ze was bereid mee te spelen. Ik gaf Ruth de baby, die me nog een flinke mep met het slot verkocht, en beloofde dat ik de jongens tegen vijf uur zou terugbrengen.

'Doe Phil de groeten,' zei ik toen we naar buiten liepen.

'Wat ziet jouw auto er raar uit,' zei Ruth.

'Bedankt,' zei ik en hield de deur voor ze open. Toen we onderweg waren, schraapte ik mijn keel en zei ik: 'Willen jullie *Dumbo* zien of liever griezelfilms?'

'Griezelfilms,' zeiden de jongens tegelijk.

'Goed dan,' zei ik, 'maar dan moet je je vader en moeder vertellen dat je *Dumbo* hebt gezien. Het heeft te maken met een zaak waar ik mee bezig ben. Oké?'

Dat vonden ze best en ik reed naar Sam Billings' theater. We aten taco's in de zaak aan de overkant. Toen we in de rij stonden om kaartjes te kopen, klaagde Nate over een zere maag. De rij bestond voornamelijk uit kinderen van alle maten met enkele volwassenen en een ontzettende hoop lawaai. Toen we bij de kassa waren, vroeg ik het meisje waar ik Billings kon vinden. Ze zei dat hij een spoedafspraak met een tandarts had.

'Jongens,' zei ik, 'hier is geld voor snoep. Kijk maar naar twee films en we zien elkaar weer bij de overkant. Welke films gaan jullie zien?'

'*Revolt of the Zombies*,' grinnikte Dave.

'*Dumbo*,' verbeterde Nate hem verstandig.

Ik bereikte het Farraday-gebouw binnen een kwartier en nam de lift vanwege mijn been. Dat kostte me nog eens tien minuten. Het gebouw had op zondagmorgen een lege echo en ik wist dat zelfs Jeremy Butler nu niet aanwezig was. Die hield het huis van Lugosi in de gaten en maakte zich vermoedelijk grote zorgen dat iemand de muren om me heen zou bevuilen.

Billings was inderdaad binnen. Hij lag te huiveren in de stoel en Shelly stond over hem heen gebogen toen ik binnenkwam.

'Toby?' vroeg Shelly en hij richtte zijn bril op mij.

'Precies,' zei ik. Billings draaide zich naar mij en aan zijn ogen zag ik dat hij me herkende.

'Ik heb dat boek waar ik jou over heb verteld,' zei Shelly. Ondertussen maakte hij een spiegeltje schoon door erop te blazen. Vervolgens stak hij hem in Billings' mond.

'Het ligt daar. *Burgerlijke Lucht Defensie*, door luitenantkolonel A.M. Prentiss. Elk type bom en elke bescherming daartegen.'

'Geweldig,' zei ik en liep naar voren. 'Hoe is het met de mond van meneer Billings?'

'Een noodgeval,' fluisterde Shelly zo hard dat niet alleen Billings, maar iedereen in de gang hem kon horen. 'Heel veel werk. Ziet er beroerd uit. Ik heb nog nooit zoiets gezien. Draagt valse vampiertanden. Zijn kaken staan niet goed meer op elkaar. Kun je het je voorstellen?'

'Jazeker,' zei ik. 'Ik was degene die hem naar jou heeft gestuurd, of was je dat vergeten?'

'Precies,' erkende Shelly en hij ging naar zijn sigarestompje zoeken tussen de tijdschriften en instrumenten.

'Kan ik meneer Billings even een paar vragen stellen? Het duurt niet lang,' zei ik, eerbiedig rekening houdend met Shelly's professionele mening.

'Vraag maar, vraag maar,' kraaide Shelly verrukt terwijl hij verder zocht.

'Meneer Billings, ik heb uw hulp nodig,' zei ik. Billings probeerde overeind te komen, maar de stoel stond onder een helling en Shelly duwde hem vastberaden terug. Hij wilde niet dat deze patiënt hem ontging.

'Meneer Billings,' zei ik en boog me voorover. 'Ik heb de namen en adressen nodig van alle Ridders van Transsylvanië. Ik heb de echte namen en adressen nodig en wel heel snel.'

'Meneer Peters,' zei hij koppig, 'dat kan ik niet doen. De Zwarte Ridders van Transsylvanië zijn geen club, het is een roeping. Ons ledental wordt uitsluitend gevormd uit oprechte gelovigen in vampiers die menen dat het image van het vampierendom gerehabiliteerd dient te worden. De wereld is altijd vol geweest van mensen die van niets wilden weten. Wij moeten ons geheim houden tot de wereld bereid is de waarheid onder ogen te zien.'

'Dit is een noodgeval,' zei ik. Ik bracht mijn gezicht vlak bij het zijne en ontblootte mijn tanden.

Billings wilde duidelijk niet toegeven en daarom ging ik maar door voor hij het zichzelf te moeilijk maakte. Dat wilde ik niet, maar ik wist zeker dat ik niet eens geweld hoefde te gebruiken om hem zover te krijgen.

'Meneer Billings,' zei ik. 'Iemand is bezig geweest om Bela Lugosi bang te maken en ik heb reden om aan te nemen dat het een van de Zwarte Ridders is. Gisteren kreeg Lugosi een telefoontje waarin hij met de dood werd bedreigd. Dit is een ernstige kwestie.'

Billings' ogen waren bol gaan staan en zijn gelaat werd bleek toen ik het telefoontje vermeldde. Ik wist niet precies welke opmerking van mij hem zo ver had gebracht, maar hij bond terstond in.

'Ik begrijp het niet,' sputterde hij.

'Ik ook niet, maar ik zal erachter komen. En nu kunt u kiezen. Of u vertelt me, al was het alleen uit bezorgdheid over de goede naam van uw organisatie, de namen en adressen, of ik timmer uw neus zo in elkaar dat hij sprekend op die van mij gaat lijken.'

'En dat kan hij,' viel Shelly me bij van over zijn schouder, terwijl hij neuriede.

Billings gaf me de namen en adressen en ik schreef ze in mijn notitieboekje.

'Bedankt,' zei ik en klopte hem op de schouder. 'Shelly geeft zijn beste patiënten korting, nietwaar, Shel?'

'Zeker,' zei Shelly, die hunkerde om zich op Billings mond te storten. 'De gebruikelijke korting. Ik weet zeker dat ik er een artikel uit haal. Een idioot die zijn bek heeft misvormd door het dragen van vampiertanden. Ik noem het het vampiersyndroom, een primeur in de tandheelkunde.'

'Klinkt prima,' zei ik en begaf me naar de deur. 'U bent in goede handen, meneer Billings.'

Billings' poezelige handje ging omhoog als reactie op mijn afscheidsgebaar. Voor ik de deur kon opendoen, vertelde Shelly me dat Jerry Vernoff had gebeld. Ik liep terug naar mijn kantoor en belde hem.

Hij nam op nadat de telefoon een stuk of tien keer was overgegaan.

'Vernoff,' zei hij met een diepe, zakelijke stem die ik niet herkende.

'Peters,' zei ik.
'O,' zei hij en zijn stem werd weer normaal. 'Ik dacht dat het Zugsmith was, de producer. Ik heb gehoord dat die een spionnenserie wil maken waar plots voor gemaakt moeten worden. Hij zou me terugbellen. Ik heb de afgelopen jaren allerlei knipsels over spionnen verzameld, het is een goud-mijn vol plots, genoeg voor wel vijf series.' Zijn stem klonk opgewonden.
'Lijkt me voortreffelijk,' zei ik. 'Maar u hebt me gebeld?'
'Klopt,' zei hij. 'Ik dacht dat ik jou maar eens een handje moest helpen met die zaak-Faulkner. Als ik hem niet zo had opgejut, was hij misschien niet weggegaan en had hij een ali-bi gehad of had hij anders Shatzkin niet koud gemaakt.'
'Ik geef de voorkeur aan een alibi,' zei ik.
'Ik heb geprobeerd een barkeeper te vinden die zich herin-nert dat hij hem heeft gezien,' zei Vernoff. 'Maar lauw loe-ne. Ik heb een hotelmeisje aangesproken, maar ook dat bleef noppes. Er is een liftboy die denkt dat hij misschien Faulkner rond negen uur heeft gezien, maar dat weet hij niet zeker. Ik ga nog eens met hem praten en misschien frist dat zijn geheugen op. Of wil jij soms met hem praten?'
'Nee,' zei ik en voelde aan mijn knie om me ervan te verge-wissen dat ik me enigszins met dierlijke soepelheid kon be-wegen. 'Doe jij dat maar.' Het leek me een aanwijzing van niks. En zelfs als die liftboy wat zekerder werd, zou hij afge-maakt worden in een proces, als het ooit zo ver kwam.
'Prachtig materiaal voor een plot,' zei Vernoff. 'Ik wil niet morbide doen of zo, maar een mens kan het moeilijk helpen dat hij professioneel denkt. Je weet wat ik bedoel.'
Ik wist wat hij bedoelde. De meeste mensen waren voor mij al lang geen mensen meer. Het waren potentiële slachtoffers of misdadigers. En dat was het enige wat er in de wereld be-stond, op dat legioen van verdwaasde halfschuldigen na dat door het leven zwierf. De wereld was geen plaats met enkele donkere hoekjes; er waren ontelbare plaatsen om je te ver-bergen.
'Ik weet het,' zei ik. 'Bel me op als je wat meer weet. Ik kan alle hulp gebruiken en ik zal het Faulkner laten weten.'

'Fijn,' zei hij. 'En als jij iets vindt, dan wil ik het echt graag horen. Ik voel me toch een beetje schuldig over wat die arme Faulkner overkomen is.'

'Dat weet ik,' zei ik.

'Ik houd nou maar op,' lachte Vernoff, 'want misschien probeert Zugsmith me te bereiken.'

Ik hing op zodat Vernoff nog een paar minuten of uren of eeuwig op dat telefoontje kon wachten. Vernoff had vermoedelijk al jaren gewacht op dat telefoontje dat hem aan het plotten kon zetten.

6

De lijst was kort, bevatte geen telefoonnummers en geen huisadressen, maar alleen zakelijke:

Bedelia Sue Frye, Personality Plus Beauty School, in Tarzana.
Wilson Wong, Kantonees restaurant New Moon, in Seventh Street in Los Angeles.
Simon Derrida, The Red Herring, in Glendale.
Clinton Hill, Aannemersbedrijf Hill en Haley, Beverly Hills.

Het was sociaal en geografisch gesproken een uiteenlopend bestand. Aangezien het zondag was, bestond er een gerede kans dat ik ze geen van allen op hun werk zou aantreffen. Van de andere kant had ik nog drie uur door te brengen voor ik Nate en Dave kon ophalen. Wilson Wong was het dichtst in de buurt en aangezien restaurants ook 's zondags open zijn, zou dit vermoedelijk tevens zijn woonadres zijn. De zon had de dag en mijn stemming opgekrikt. Mijn Alan Ladd-achtige actie ten koste van Billings had wonderen voor mijn ego gedaan. Niet iedereen heeft het in zich een kort, dik, hulpeloos nepvampiertje in een tandartsstoel te bedreigen.
De New Moon bezat een eigen parkeerterrein, waar acht wagens stonden. Het restaurant had een roodgeverfde, houten façade en was ontworpen in laat Charlie Chan. Binnen was het donker en druk. Fluisterende klanten gebruikten een late lunch.
Een magere Chinees met een wezenloze glimlach kwam op me af.
'Hoe groot is uw groep?' vroeg hij.
'Nul mensen,' antwoordde ik en probeerde er als een rauwe bonk uit te zien. Ik droeg nog steeds het image van Alan Ladd bij me. 'Ik wil Wilson Wong spreken. Zakelijk. Onder vier ogen.'

'Zeker meneer,' zei de kelner. Hij gebaarde me hem te volgen. We zwenkten tussen de tafeltjes door. Ik volgde hem naar een gang voorbij de toiletten. Hij klopte aan en wachtte.

'Houdt u van rugby?' vroeg de kelner toen we wachtten. Hij klopte nog een keer. Ik zei dat dat klopte.

'Dat is de moeilijkheid met Californië,' deelde hij me mee. 'Geen goede rugbyteams. Denkt u dat de Bears de All Stars kunnen afmaken?'

'Nee,' zei ik. 'Met Baugh als quarterback mogen de Bears al blij zijn als ze winnen.'

'Misschien,' zei hij twijfelend. De deur ging open en Wilson Wong stond voor me. Hij droeg een stemmig, donker pak met stropdas en hij keek verrast.

De twee mannen wisselden enkele woorden in het Chinees en toen de kelner wegging, richtte Wong zich tot mij.

'Komt u toch binnen, meneer Peters,' zei hij. 'Het is toch Peters, nietwaar?'

'Exact,' zei ik toen hij de deur achter me sloot.

Het leek eerder een bibliotheek dan een kantoor. Drie muren waren gevuld met boeken. En zo er een raam was, ging dat achter boeken schuil. In een hoek stond een stevige leesstoel met een lamp op hoofdhoogte en rechts daarvan stond een bureau waarop enkele keurige stapels lagen. Wong bood me een stoel aan en ik ging zitten. Hij nam een zelfde stoel als die van mij, zodat we beiden even gemakkelijk of ongemakkelijk zaten.

In het souterrain van het theater, twee avonden geleden, had Wilson Wong eruitgezien als een energieke paardevlieg, maar in zijn kantoor leek hij dat allerminst.

'Ik verkeerde in de veronderstelling dat onze namen geheim zouden blijven,' zei hij, 'maar het verbaast me niet. Meneer Billings is niet het toppunt van discretie. Kan ik u koffie aanbieden, of thee?'

'Thee,' zei ik, want dat vond ik passen bij de omgeving.

Wong liep naar zijn telefoon, drukte op een knop en zei iets in het Chinees. Ik vermoedde dat hij thee bestelde of anders een moord op mij, afhankelijk van het feit of ik bij de juiste of verkeerde verdachte was gekomen. Hij zette zich in zijn stoel en keek me nieuwsgierig aan.

'Wat kan ik voor u doen?' vroeg hij.

'Het gemakkelijkste lijkt me dat ik u het verhaal vertel en dat u daarna antwoord geeft,' zei ik. Dat vond hij best en ik ging er lekker bij zitten, hetgeen erop neer kwam dat ik mijn zere been liet bungelen. Ik vertelde hem van Lugosi en wat mijn rol in het verhaal was. Hij luisterde, knikte en zweeg even toen er op zijn deur werd geklopt en de bestelling op een dienblad naar binnen werd gedragen. Hij zette de thee op een tafeltje en schonk ons allebei een kopje in.

'Ik vrees dat ik u niet echt kan helpen, meneer Peters,' zei hij. 'Tenzij natuurlijk uw bezoek u ervan overtuigt dat u mij van uw lijstje verdachten kunt schrappen, waardoor uw taak gemakkelijker wordt.'

'Dat is ook een manier,' zei ik. 'Kunt u mij ervan overtuigen dat u geen enkele grief jegens Lugosi hebt?'

'Dat zal niet moeilijk zijn,' zei Wong glimlachend. 'Ik ben vrijwel niet in meneer Lugosi geïnteresseerd. Als u mijn boeken bekijkt, dan zult u twee soorten boeken ontdekken in zowel het Chinees als het Engels. Mijn meeste boeken zijn sociologische studies. Sommige zijn historisch, maar ik heb nogal wat occulte werken. Hoewel ik deze zaak geërfd heb en zeer trots ben op mijn familie, gaat mijn belangstelling vooral uit naar een onderzoek van sociale groeperingen, culten, zo u wilt, waarbij occultisme centraal staat. Ik sta me er meestal niet op voor, maar ik ben gepromoveerd in sociologie aan de Universiteit van Zuid-Californië en ik geef daar soms colleges. Ook heb ik twee boeken over het onderwerp geschreven.'

'U bent dus niet persoonlijk geïnteresseerd in...'

'Helemaal niet,' maakte hij de zin voor me af. 'Het groepje is op zich tamelijk interessant, maar ik heb daar nu langzamerhand alle informatie wel uitgehaald en ik overwoog al me uit hun midden terug te trekken, hoewel dat moeilijk is, gezien het geringe ledental. Toch krijgt men er op den duur genegenheid voor en meer begrip.'

'Los Angeles moet een prima werkterrein voor u zijn,' zei

ik. Ik dronk mijn kopje thee en hij schonk me nog een keer in.

'Dat is het inderdaad,' zei Wong. 'Dat is denk ik een van de redenen dat ik me hierin heb gespecialiseerd. Het lijkt me tamelijk onzinnig om het sociale leven van de Eskimo's te bestuderen met als basis Los Angeles.'

'Ik zie wat u bedoelt,' zei ik. 'Hebt u dan misschien enig idee wie degene kan zijn die ik zoek? Wat ik van vampiers weet komt uit de film en uit het boek *Dracula* dat ik heb gelezen toen ik twintig was.'

Wong ging staan en liep zuchtend naar zijn bureau, kennelijk om iets op te zoeken.

'Zoals zoveel van die subculturen in Californië,' zei hij, 'bestaat ook deze club uit leden die uitzonderlijk onwetend zijn inzake de materie waarvoor ze zoveel belangstelling veinzen. Ik moet tot de conclusie komen dat ze niet wezenlijk geloven in vampiers of geïnteresseerd zijn in de folklore eromheen, maar dat het hun er op de eerste plaats om gaat zich te kostumeren en vampiertje te spelen. Zo weet geen enkel lid van de Zwarte Ridders over de rituelen van de Azteken die zich honderden jaren geleden in dit gebied hebben afgespeeld, rituelen die nauw verwant zijn aan het vampirisme, meer dan van Dracula gezegd kan worden. De Azteken hebben regelmatig jonge vrouwen en kinderen geofferd en hun bloed en lichamen genuttigd in de veronderstelling hierdoor hun eigen leven te verlengen.

De Chinese vampier,' vervolgde hij, nog steeds zoekend naar iets op zijn bureau, 'is heel wat angstaanjagender dan de Transsylvaanse vampier of Oupire. Het lichaam van een vampier in China heet bekleed te zijn met groenig-wit haar en ze hebben lange klauwen en gloeiende ogen. Chinese vampiers kunnen vliegen zonder zich in een dier te veranderen. Om te voorkomen dat iemand vampier wordt, moeten dieren, vooral katten, van het lijk weggehouden worden en de stralen van de zon of de maan mogen het niet aanraken, om te vermijden dat het lijk Yang Cor krijgt, waardoor het kan opstaan en op anderen kan jagen.'

'Fascinerend,' zei ik en verplaatste mijn been.

'Maar u vraagt me over deze groep,' zei hij, 'en de geschiedenis van het vampirisme is niet uw uitgangspunt. Mijn ervaring heeft me ertoe gebracht te denken dat die korte, dikke man uit New York ook geen ware gelovige is, maar ik beken eerlijk dat het mij een raadsel is wat hij dan bij die groep heeft te zoeken. Hij is beslist geen wetenschapper. Aha, hier heb ik het.'

Wong trok een vel uit een stapel.

'Ik heb wat aantekeningen gemaakt over de leden en was van plan een follow-up te doen, maar niet van ganser harte,' zei hij. 'Het kostte me geen moeite om achter hun ware namen te komen, hoewel ik die in mijn artikel niet zal gebruiken. Maar ik dacht dat het nuttig kon zijn wat meer achtergrondkennis van de leden te hebben. Als u wat meer te weten komt en als dat verenigbaar is met uw beroepsethiek, dan zou ik u gaarne een honorarium voor research willen betalen.'

'Ik zal erover nadenken,' zei ik. 'Ik weet niet goed wat mijn beroepsethiek zegt over deze zaak. Weet u iets van de vrouw?'

'Jazeker,' zei Wong en keek op zijn papier. 'Bedelia Sue Frye. In sommige opzichten een heel interessante vampier, volledig toegewijd aan haar rol. Tijdens de bijeenkomsten is ze perfect als vampier, niet één keer valt ze door de mand, maar de vampier die zij uitbeeldt heeft helaas geen historische of mythologische betekenis, maar is aan een film ontleend. Een goede kandidaat voor u, meneer Peters.'

'Hill,' zei ik, doelend op die grote man die geen woord had gezegd.

'Een voyeur, naar ik vermoed,' zei Wong. 'Overdag respectabel. Wil graag iets gevaarlijks doen, maar het mag niet te gevaarlijk worden. Hij heeft behoefte aan een geheim. Voelt zich nooit prettig bij die puberale seances, maar hij ontleent duidelijk genoegen aan het kijken. Ook een kandidaat, meneer Peters.'

'En Billings?' vroeg ik.

'Een triest mannetje dat binnen de mogelijkheden van zijn lichaam en geest zijn fantasie uitleeft. Triest. Het is de waarneming van een buitenstaander, maar ik meen oprecht dat zijn toestand als triest omschreven moet worden. Ik kan niet nagaan hoe hij zichzelf beziet.'

'Nou, meneer Wong,' zei ik en ging op mijn ongelooflijk stijve been staan, 'u hebt me reusachtig geholpen.'

Hij liep op me af en stak zijn hand uit.

'Ik neem aan dat ik niet langer verdacht ben?'

'U bent nog steeds verdacht,' zei ik. 'De enige manier om van mijn lijstje van verdachten af te komen is slachtoffer worden en dan nog zou ik wantrouwig zijn.'

Wong moest lachen.

'Het academisch onderzoek verloor een waardevolle kracht toen u besloot detective te worden,' zei hij.

'Ik heb niets besloten,' zei ik en volgde hem naar de deur. 'Ik ben er ingerold.'

Wong liep met me mee naar het restaurant. We bleven bij de voordeur staan.

'Als ik u ergens mee kan helpen,' zei hij, 'komt u dan gerust nog eens terug.'

Ik bedankte hem en draaide me om. Het parkeerterrein was niet zo vol meer en ik zag niemand toen ik naar mijn auto liep. Plotseling werd de hemel donker of een schaduw kroop voor de zon. Dat was althans mijn indruk en ik keek omhoog. Wat ik zag had me tot actie moeten manen, maar ik bleef stokstijf staan. Boven op mijn Buick stond een gedaante in een zwarte cape. Ik keek recht in de zon en kon geen gelaat zien. Hij sprong naar mij en zwaaide met iets in zijn hand. En toen pas reageerde mijn lichaam. Ik viel op de grond en rolde weg, waardoor ik maar half de klap kreeg die voor mijn hoofd bedoeld was. De donkere gedaante probeerde het opnieuw en ik bedekte mijn gezicht en hoofd met mijn arm terwijl ik wegrolde over de sintels van het parkeerterrein.

'Nosferatu,' hoorde ik de stem van Wilson Wong en de gedaante in de zwarte cape draaide zich om. Hij maaide met zijn glanzende knuppel naar de Chinese professor die naar de grond dook en met veel gevoel voor timing de daglichtvampier tegen de achterkant van diens been schopte. De man verloor zijn balans en zijn knuppel, maar kwam weer rechtop voor hij de grond raakte. Toen rende hij met golvende cape weg.

'Gaat het, meneer Peters?' vroeg Wong. Hij ging rechtop zitten. Zijn pak was geruïneerd.

'Ik denk het wel,' antwoordde ik. Ik ging bij hem staan en bevoelde mijn bloedende scalp. 'Was dat judo?'

'Nee,' zei Wong. 'Ik zat in het worstelteam van de universiteit. Het was een eenvoudige beenworp. Maar de jaren zijn voorbij gevlogen en ik heb nog geluk gehad. Ik denk dat ik u maar naar een dokter breng.'

Ik voelde aan mijn hoofd en probeerde met mijn jaren van ervaring de schade vast te stellen. Koko de Clown zat op mijn schouder, bereid om me mee te nemen in zijn inktpot als ik bewusteloos zou worden, maar ik gaf hem zwijgend te verstaan dat hij nog moest wachten en dat we een andere keer verder zouden spelen.

'Het zal wel gaan,' zei ik. 'Ik heb water nodig en verband en een plek om me op te knappen.'

Wong voerde me terug naar zijn restaurant langs nieuwsgierige klanten en hielp me bij het schoonmaken. De kelner kwam erbij en haalde een doek die als verband kon dienen. Ik kreeg iets alcoholisch te drinken waar ik een scheut in mijn hoofd van kreeg. Even voelde ik me misselijk worden, maar toen knapte ik snel op.

'Bedankt,' zei ik.

'Wie hij ook was, het ontbrak hem aan echte stijl,' zei Wong.

'Maar hij was wel effectief,' zei ik.

'Inderdaad,' zei Wong. 'Het ziet ernaar uit dat meneer Lugosi echt in gevaar verkeert.'

Zonder verdere problemen haalde ik mijn wagen, pakte mijn .38 met holster en hield hem tegen mijn borst geklampt. Plotseling voelde ik me koud worden en ik draaide me snel om in de verwachting dat iemand op de achterbank in mijn nek ademde. Maar de bank was leeg. Ik deed de portieren op slot en reed langzaam de straat uit, loerend naar donkere Fords en nog donkerder onbekenden.

Tegen halfvijf was ik bij het theater terug. Nate at jujubes en

Dave veegde tranen uit zijn ogen.

'En jongens, hoe was de film?'

'Geweldig,' zei Nate en kroop op de achterbank.

'Ik werd echt bang,' zei Dave en hij ging naast me zitten.

'Maar Nate The Great wou me niet mee naar buiten nemen.'

Nate stak zijn hand uit en gaf zijn broer een tik op diens hoofd.

'Ophouden,' zei ik. 'Als jullie ruzie willen maken, dan graag zonder mij. Oké?'

'Oké,' beaamden ze.

Dave veegde tranen uit zijn rode gezicht en keek nieuwsgierig naar mijn verbonden hoofd.

'Wat is er met jou gebeurd?' vroeg hij.

'Nazi's,' zei ik.' 'Ik moest ze doodmaken.'

'Hoeveel?' vroeg Dave met open mond.

'Eenendertig,' zei ik.

'Hij houdt je voor de gek, stommeling,' zei Nate. Hij propte een handvol snoep in zijn mond en keek een brandweerwagen na die voorbij scheurde.

Ik bracht ze tegen vijf uur thuis en Ruth begroette ons bij de deur.

'De baby slaapt,' zei ze. 'Ik ben net met het eten begonnen. Hoe was *Dumbo*?'

'Geweldig,' zei Nate. 'Dave werd er bang van.'

'Toen die zombies kwamen...' zei Dave, maar ik onderbrak hem.

'Toen Dumbo's moeder stierf,' zei ik. 'Dat was erg, nietwaar Dave?'

Dave knikte gemelijk.

'Wat is er met jou gebeurd?' vroeg Ruth en ze bekeek me nauwlettend. Mijn hoofd was ingepakt in verband en mijn laatste pak was na die rolpartij in de sintels nauwelijks toonbaar.

'Het begin van een relletje bij het theater,' zei ik. 'Ik werd onder de voet gelopen door kinderen die een kaartje wilden kopen.'

'Hij kreeg een trap op zijn kop,' zei Nate. 'Ik heb het zelf gezien.'

Ruth wist niet wat ze geloven moest.

'Blijf je eten?' vroeg ze. 'Tonijn en noedels.'

'Is Phil ook thuis?' vroeg ik.

'Ja,' zei ze.

'Dan laat ik het schieten,' zei ik. 'Ik moet trouwens nog werken.'

Ik was bijna bij de auto toen ik haar hoorde zeggen: 'Toby, let een beetje op jezelf.' Ze klonk echt bezorgd en ik draaide me om, waarbij ik me afvroeg of ze me net zo zag als Wilson Wong Billings. Het was uiterst deprimerend.

Ik had natuurlijk naar huis moeten gaan om voor mijn hoofd te zorgen en te kijken of er boodschappen waren van mijn dwerg en mijn reus, maar Ruths opmerking had me diep getroffen. Ik wist nu al dat ik me nog verder in de nesten zou werken, dat ik niet op kon houden, dat ik zo nodig moest bewijzen dat ik harder was dan die ander, maar ik wist niet eens of ik dat wel kon.

Mijn auto en lichaam wisten waar ik naartoe ging zonder dat mijn hersenen hier opdracht voor hadden gegeven. De auto bracht me van de vallei naar de Laurel Canyon en vandaar naar Sherman Oaks en Tarzana. Er was net zo veel kans dat een schoonheidssalon op zondag open zou zijn als dat Japan Californië in de ochtend zou aanvallen. Maar ik kon de gedachte naar het pension te gaan niet verdragen. Ik had mijn ex-vrouw Anne kunnen proberen, maar ik had de energie niet om me in haar huis te lullen voor een scheutje medeleven en een vastberaden 'de groeten dan maar', dat me nog veel ontmoedigender leek dan helemaal geen reactie. Zonder moeite vond ik een parkeerplaats en keek naar het westen waar de zon onderging. De nacht zou niet lang op zich laten wachten en de vampiers van anderen zouden opstaan. Mijn vampier besteedde geen aandacht aan verfijnde details als traditie. Zijn gereedschap was een eind ijzer en een overval.

Personality Plus bevond zich op de tweede verdieping van een gewoon kantoorgebouw. Het was open. In de receptie bevond zich een balie waar allerlei haarprodukten stonden uitgestald: versteviger, shampoos; de meeste waren groen en bevatten belletjes. Een advertentie voor Breck Shampoo trok nogal de aandacht. De vloerbedekking was marineblauw en groen, zo te zien onverslijtbaar, maar diepte zat er niet veel in. Grote kleurenfoto's, waarvan de meeste verbleekt waren, gaven de nieuwste mode aan, maar naar de kwaliteit van de foto's te oordelen waren ze al een paar jaar oud.

Het was er behoorlijk druk. Vrouwen wachtten in een stoel. Sommigen waren eigenlijk nog kinderen. Ik liep naar de balie waarachter een jongeman in een kappersjas stond. Achter hem was een kamer vol geroezemoes van vrouwen met witte troep in hun haar of met rode nagels die ze voor zich hielden om ze te laten drogen.

'Kan ik u helpen?' vroeg de jongeman.

Ik had mietjesachtige handgebaren verwacht, maar hij was een en al zakelijkheid.

'Hebben jullie het altijd zo druk op zondag?' vroeg ik.

'Veel klanten van ons werken in de oorlogsindustrie,' legde hij uit. 'We hebben speciale oorlogsuren. Zondag is een van onze drukste dagen. We zijn tot tien uur open. Kan ik u ergens mee van dienst zijn?'

'Bedelia Sue Frye,' zei ik. 'Ik zou haar graag willen spreken. Het is belangrijk. Loopt ze hier stage?'

'Mevrouw Frye is directrice van de school,' zei hij en keek langs mij om te zien hoe de overige klanten mijn aanwezigheid opnamen. Ik zag eruit of ik eerder behoefte had aan Eerste Hulp dan aan een schoonheidssalon. Maar bij nader inzien kon een beetje cosmetica me weer toonbaar maken.

'Geweldig,' zei ik. 'Mag ik haar spreken? Vertel haar maar dat het met de Zwarte Ridders te maken heeft. Dan zal ze me wel willen ontvangen.'

'De zwarte wat?' vroeg hij ongelovig.

'Precies,' zei ik. Hij liet me achter bij de gapende vrouwen en kinderen. Enkelen keken openlijk, maar de rest verschool zich achter tijdschriften.

De jongeman kwam terug en vroeg of ik hem wilde volgen. Ik liep om de balie heen en stapte een gang in waar we een drietal in het wit geklede jonge vrouwen tegenkwamen die allemaal een mensenhoofd in hun hand hielden. De jongeman bleef niet staan en de vrouwen passeerden me op zo'n korte afstand dat ik goed kon zien dat het mannequinkoppen waren met krullen in hun haar. Hoe dieper we doordrongen, hoe penetranter de geur werd, een misselijk makende, zoetige geur die iets van azijn weghad maar niet helemaal.

'Door die deur,' zei mijn gids en wees. 'Mevrouw Frye zal zo bij u zijn.'

Ik liep naar binnen en bevond me in een wit, helder verlicht kantoor met een raam dat uitkeek op een grote zaal met stoelen waar vrouwen dingen lieten doen aan hun haar en gezicht, zoals wassen, drogen, bakken en kleien, bedreigd door een kolonie instructeurs. Zelfs in dit relatief goed geïsoleerde kantoor kon ik nog geroezemoes horen. Terwijl ik toekeek, stapte een jonge vrouw in het wit over de gang tussen twee rijen stoelen. Om de meter werd ze tegengehouden door een leerling of klant met een vraag, een probleem of een crisis. Maar langzaam maar zeker kwam ze mijn richting uit. Toen ze dichtbij was en ik haar goed kon zien, zag ik dat ze ergens in de dertig was, dat ze het figuur van een filmster bezat en een brede, alles omvattende glimlach die het prima zou doen in een t.v.-spot. Ze deed de deur open en liet daarmee stemmengezoem binnen dat ze vervolgens weer afsloot.

'Ja, meneer Peters?' vroeg ze.

'Hoe weet u wie ik ben?' vroeg ik en leunde tegen het bureautje. 'Ik heb mijn naam niet aan Wilhelm genoemd.'

'Hij heet Walter,' zei ze. 'En we hebben elkaar vrijdag gezien. U wilde me spreken?' Ze liep naar haar bureau, pakte een sigaret uit een zilveren doos, veranderde van gedachten en keek me toen glimlachend en met gevouwen armen aan.

'Ik probeer ermee te stoppen,' zei ze.

'Bent u Bedelia Sue Frye?' vroeg ik.

'Ik ben Bedelia Sue Frye,' zei ze spottend.

Ik keek haar enkele seconden niet-gelovend aan, maar ze vond dat alleen maar lollig. Haar lengte klopte en dat was het dan wel. Dit was een echte blondine met een gezonde

gelaatskleur en heel weinig make-up. Haar glimlach was stralend als de zon. Ze stond rechtop en straalde energie uit.
'Dezelfde die lid is van de Zwarte Ridders van Transsylvanië?' vroeg ik.
'Niemand anders,' zei ze en stak haar rechterhand uit. 'Eerlijk gezegd, het is een opluchting voor me. Ik verkleed me voor die gelegenheden, zet een pruik op, verander mijn gezicht en acteer een beetje. Ik heb het hier nogal druk,' zei ze schokschouderend, 'en ik heb er eens over gedacht bij de film te gaan. Ik heb zelfs een paar rolletjes gekregen en nu zit ik hier.' Haar handgebaar omvatte de kamer en de wereld daarbuiten. 'Niemand van mijn personeel weet van de Zwarte Ridders en ik verkeerde in de waan dat niemand erachter zou komen.'
'Ik ben privé-detective,' legde ik uit. 'Ik ging vrijdag met Bela Lugosi mee omdat hij een paar dreigbrieven had gekregen, en telefoontjes en dat soort dingen. We hebben alle reden om aan te nemen dat een van de Zwarte Ridders verantwoordelijk is voor de dreigementen. We zijn bang dat de zaken uit de hand gaan lopen.'
'O, dat verklaart waarom u zo kijkt,' zei ze. Ze kon de sigaret niet meer weerstaan.
'Om maar met de deur in huis te vallen,' zei ik en keek haar recht in haar blauwe ogen. 'Ik ben hier om erachter te komen of u soms mijn cliënt heeft bedreigd.'
'Ik!' zei ze en beantwoordde mijn blik. 'Waarom zou ik… dat is belachelijk. Ik geloof die onzin niet eens. En die films van hem kunnen me geen zier schelen. Voor mij is het een vermoeide, oude man. Iedereen die het hem moeilijk maakt, hoort in het gesticht thuis en dat geldt niet voor mij. Luister eens, ik zit hier maar te praten. Dat vind ik best, maar het is een gekkenhuis hier en…'
'We kunnen misschien eens een afspraak maken,' zei ik. 'Ik bedoel, praten over de Zwarte Ridders en Lugosi.'
Haar glimlach was breed en direct.
'Dat zou ik best leuk vinden,' zei ze.
Ik voelde in mijn jas, pakte mijn portefeuille en vond mijn kaartje. Ik greep een potlood van het bureau en krabbelde

mijn huisadres erop en het telefoonnummer van het pension. 'Ik bel u wel.'

Ze pakte mijn kaartje aan, bekeek het, tikte er met lange vingers op en stak hem toen in haar schone blouse ter hoogte van haar hart. Zaken liepen nooit zoals je verwachtte, bedacht ik toen ik door de deur stapte, de kolonie in.

Ik liep naar buiten en vroeg me af wat Wilson Wong van zijn eerste verdachte zou zeggen als hij in mijn schoenen had gestaan. Ook was het tot me doorgedrongen dat van de vijf Zwarte Ridders er minstens twee waren die beweerden helemaal niets met het vampirisme van doen te hebben. Toen ik buiten in het donker stond, besloot ik de zaken van Lugosi en Faulkner zo snel mogelijk op te lossen, zodat ik me op Bedelia Sue Frye kon concentreren. Maar ik was niet zo in de bonen dat ik niet uit mijn ooghoeken alles in de gaten hield en mijn hand dichtbij mijn jasje en wapen hield. Ik deed de deur open, controleerde de achterbank, sloot de deur en reed naar huis.

Huis is waar je naartoe gaat en ze moeten je daar binnenlaten als je de huur betaalt en zo weinig mogelijk herrie schopt.

Terug in Heliotrope trof ik een boodschap van Jeremy Butler aan dat er vandaag niet veel gebeurd was. En ik trof een opgewonden Gunther Wherthman aan wiens opwinding in elkaar zakte toen hij me zag.

'Ik ben door een vampier aangevallen,' zei ik.

'O ja?' zei Gunther. Hij volgde me naar mijn kamer waar ik alle hoeken naging, inclusief de kast. Toen deed ik de deur achter me op slot.

'Ik heb misschien ook iets belangrijks te melden.'

'Vooruit met de geit,' zei ik. Ik zette het elektrische kookplaatje aan en pakte een blik varkensvlees met bonen van de plank. 'Zin om mee te eten?' vroeg ik en stak het blik omhoog.

'Nee, bedankt,' zei Gunther beleefd en duwde een lok naar achteren. 'Ik heb al gegeten. Mag ik…'

'Sorry, Gunther,' zei ik en maakte het blik open. 'Het leven kan soms heel hard wezen.'

'Mevrouw Shatzkin is vandaag tweemaal naar buiten gegaan,' zei hij. 'De eerste keer liet ze zich door haar chauffeur rijden en ging ze naar het kantoor van haar man. Ze bleven hooguit tien minuten in het kantoor. Toen ze naar buiten kwamen, droeg de chauffeur een kleine kartonnen doos waarin allerlei dingen zaten.'

'Ga verder,' zei ik. Ik vond een pan en vulde die met het varkensvlees en de bonen.

'Ik dacht eerst dat het niet zo belangrijk was,' zei Gunther, 'maar dat laat ik aan jou over. De tweede keer dat ze wegging leek me heel wat belangwekkender. Laat in de middag reed ze zelf in een andere auto door enkele straten. Ik kreeg de indruk dat ze wilde nagaan of ze gevolgd werd, maar ze was er niet erg goed in. Haar rijpatronen waren uiterst voorspelbaar en ik liet haar alsmaar in blokjes rijden waarna ik haar op de vitale punten weer oppikte. Ik moest af en toe gokken, maar mijn berekeningen bleken telkens correct.'

'Prima werk, Gunther,' zei ik en liet een klont boter in de kokende massa bonen vallen.

'Toby,' zei hij, 'het gaat me er niet om dat jij mijn detectivewerkzaamheden als goed kwalificeert, jij moet beseffen dat ze niet wist dat ze gevolgd werd.'

'Sorry,' zei ik en draaide me om.

'Mooi,' zei Gunther. 'Uiteindelijk arriveerde ze bij een appartement in Culver City en ging daar naar binnen. Toen ik er zeker van was dat ze binnen was, ging ik haar achterna. Ik noteerde de namen op de brievenbussen. Dat waren er zes. Door telkens de ramen van buitenaf te bekijken, kon ik haar een paar keer van over de straatzijde zien. Op die manier kon ik bepalen om welk appartement het ging, en het spijt me te zeggen dat dat het appartement was waarvan de brievenbus geen naam had. Maar het was duidelijk dat ze niet alleen in die kamer was. Ik weet zeker dat ik een man heb gezien en hoewel ik daar niet zeker van was, misschien omdat mijn fantasie me parten speelde, dacht ik op een gegeven ogenblik iets te zien dat me een amoureuze omhelzing leek. Ze bleef bijna één uur en vijftig minuten binnen, kwam toen naar buiten, keek om zich heen en reed linea recta terug naar haar huis in Bel Air.'

'De plot verdicht zich,' zei ik en liep naar de tafel om met een grote lepel uit de pot te eten.

'En?' zei hij.

'Ik zal het morgen meteen nagaan. Bedankt, Gunther.'

'Ik heb het een stimulerende ervaring gevonden,' zei hij. 'Als je meer hulp nodig hebt, laat het me dan weten.'

Ik vertelde hem dat ik dat zeker zou doen, en hij verdween. Toen ik mijn eten op had, controleerde ik mijn natte pak. Dat was nu redelijk droog en ik dacht dat ik het morgen wel kon aantrekken.

Het was even over achten op mijn notehouten klok. Toen ik uit mijn kleren stapte, luisterde ik naar het slot van *Inner Sanctum*. In bed hoorde ik Jack Benny en ik boog mijn knie die aarzelend meedeed. Ik dwong mezelf oefeningen te doen zoals opdrukken, hurkensprong en hijgen. De knie zou me een poos uit het sportlokaal houden en ik had de oefeningen net zo hard nodig om mezelf ervan te overtuigen dat een gezond lichaam belangrijk was als om dat lichaam te gebruiken.

Ik vulde een glas melk met Horlick, dronk het gulzig op, poetste mijn tanden en stapte in bed met de lampen uit. Ik overwoog een paar uurtjes te rusten om plannen te maken voor de volgende dag en dan op te staan om een detective-boekje te lezen. Maar het werd slapen en ik donderde in de vergetelheid. Maar toen ik me een keer op mijn linkerzijde rolde, ging er een pijnscheut door mijn hoofd.

Het geluid op mijn deur was niet meer dan een gekras. Ik wist niet eens of het in mijn droom gebeurde of in werkelijkheid, maar ik dwong me klaarwakker te worden. Het vermoeide vlees gaf echter niet meteen gehoor. Ik ging slaperig rechtop zitten. En ik hoorde nog steeds gekras op de deur.

'Ogenblikje,' zei ik, deed het licht aan en keek op de klok. Het was even na middernacht. Gunther had kennelijk last van zijn chronische slapeloosheid en was nu bezig om te kijken of ik zin in een praatje en koffie had, maar ik nam het risico niet. Ik pakte mijn wapen en riep: 'Wie is daar?'

'Ik, Bedelia,' klonk het gefluisterde antwoord. De stem was

heel anders dan ik uren geleden had gehoord in de Personality Plus Beauty School. Ik deed het licht uit, overwoog even iets anders dan mijn onderbroek aan te trekken en concludeerde dat ik daar geen tijd voor had. Ik ging aan de zijkant van de deur staan en duwde hem open. In het licht van de hal zag ik duidelijk een vrouwelijk silhouet. Ze was ongewapend.

Ze stapte de kamer in en ik deed het licht aan en sloot de deur. Dit was niet de Bedelia Sue Frye die ik in Tarzana had ontmoet. Dit was de vrouw van de Zwarte Ridders van Transsylvanië, het donkerharige, bleke schepsel met de ietwat gekromde houding, de fluisterstem, een geheime glimlach, een vermoeid geheim. Ze zag mijn wapen en toen keurden haar ogen geamuseerd en goedkeurend mijn lichaam. Ze had iets aan van rode zijde dat vanaf haar schouders recht omlaag hing.

'Je wilde me spreken?' vroeg ze.

'Tijd om te spelen?' vroeg ik en bekeek haar nauwkeurig. Ik wist niet zeker of dit dezelfde vrouw was, maar dat moest wel.

'Dit is geen spelletje,' zei ze op ernstige toon. Ze liep naar mijn enige halfgerieflijke stoel en bekeek de kamer.

Ik legde mijn .38 op een hoek van de tafel tegenover haar, zodat ik er zonodig als eerste bij kon, en krabde op mijn hoofd, erop lettend dat ik niet de buil raakte.

'Luister,' zei ik, 'het gaat niet goed, ik weet langzamerhand bij God niet meer waar ik aan toe ben. Kun je het me iets gemakkelijker maken door te zeggen wat er aan de hand is?'

'Aan de hand?' zei ze met een blik naar mijn onderbroek.

'Aan de hand zou ik het niet noemen.'

Dat was ook zo. Ik ging op mijn keukenstoel zitten en sloeg mijn benen over elkaar. 'Goed dan,' zei ik, gevangen in mijn eigen kasteel. 'Wat nu?'

'Jij wilde me spreken,' zei ze.

'Ik heb je vanavond nog gezien,' zei ik.

'Dat was niet mijn werkelijke ik,' zei ze, kijkend naar mijn matras. 'Ik ben de echte ik.'

'Geweldig,' zei ik. 'Je meent het geloof ik ook nog! Of is het spelletje plotseling afgelopen en begin je te lachen als mijn broek zakt?'

'Je bent best grappig,' zei ze. Ze ging staan en deed een stap in mijn richting.

'Zoals een vlieg voor een spin grappig is,' zei ik.

'Wie weet,' zei ze pruilend.

Mijn ogen gingen naar mijn wapen en vandaar naar haar toen ze op me afkwam. Ik wilde niet gaan staan, maar ik wist niet wat ze van plan was.

'Dame,' zei ik, 'ik geloof dat je een tikkeltje geschift bent.'

Ze ging met een katteglimlach op de tafel zitten en streelde mijn gezicht. Ik keek naar haar en vroeg me af of ik een fantasie had of een nachtmerrie. Ze schoof als een kat over de tafel naar voren en ging op mijn schoot zitten. Mijn lichaam liet me weten dat het geen droom was.

'Het is per slot na middernacht,' fluisterde ze, 'als het bloed onstuimig stroomt en hartstocht opkomt met de volle maan.'

'Ik weet niet waardoor die hartstocht opkomt,' antwoordde ik, 'en het kan me niet schelen. Ik kijk een gegeven vampier niet in de bek.'

Ze beet zachtjes in mijn nek, maar niet zo hard dat er bloed uitkwam. Ik hoopte maar dat dit plagen was, maar ik mocht hangen als ik wist wat ze nu eigenlijk wilde. Mijn lichaam vertelde me dat ik daar later wel achter zou komen. Ik probeerde haar op te tillen en naar mijn matras-bed te slepen, maar mijn kapotte knie kon het gewicht niet dragen. Moet nu alles bij mij in een kwalijke grap veranderen, dacht ik. Ik rolde haar op de vloer en de tijd stond geruime tijd stil.

Toen we een half uur later opstonden, zat haar zwarte pruik nog steeds op zijn plaats. Ze trok langzaam haar rode gewaad aan toen ik op de matras zat. Ik merkte dat ze nu dichter bij het wapen was dan ik en concludeerde dat als ik toch moest gaan het beter in deze stijl kon gebeuren.

'Ben je weer jezelf?' vroeg ik.

'Ik ben altijd mezelf,' snorde ze.

'Heb jij soms dooie vleermuizen naar Bela Lugosi gezonden?' vroeg ik.

Ze keek me snierend aan. Het was een snier die haar uitstekend stond.

'Hij is oud en moe en vergeten,' zei ze. 'Het is het heden dat me intrigeert. Vers bloed. Zoals jij.'

'Bedankt,' zei ik in de hoop dat ze me niet zonder dat ik het had gemerkt leeggezogen had. Ik vocht tegen de verleiding om mijn lichaam te controleren. 'Ik weet waar ik jou eerder heb gezien,' zei ik. 'Je ziet er net uit als dat vampiermeisje in *Het Teken van de Vampier*.'

Ze glimlachte veelzeggend en liep naar de gemakkelijke stoel.

'Je weet wel,' zei ik en bekeek haar gezicht. 'Die film waarin Lugosi en het meisje uiteindelijk nepvampiers blijken te zijn.'

Een bitse blik deed haar gezicht betrekken en ze wees met haar vinger naar mij.

'Gij hebt zoveel gekregen en nog durft gij u spotternij te veroorloven,' zei ze en schreed naar de deur.

'Zullen we zeggen, de volgende keer rond Pasen of zo?' zei ik. Ik probeerde nog steeds haar uit haar rol te shockeren, maar dat lukte me niet.

'Misschien zien we elkaar weer,' zei ze en liep naar de deur.

Ik kwam overeind en liep haar achterna om er zeker van te zijn dat ze ook wegging. Dat was inderdaad het geval. Ik was waarlijk genomen door een vampiere, verleid en vervolgens verlaten. Het was best lollig geweest, maar tja, die dingen gaan en komen. Ik dacht niet dat ik nog eens gezellig bij Bedelia Sue Frye langs zou komen, tenzij ik redenen had om aan te nemen dat zij Lugosi's plaaggeest was in plaats van de schizofreen uit de buurt.

Ik zette een stoel onder de deurknop, liet het licht aan en ging naar bed met het wapen naast me. Het jaar was pas jong en ik moest nog twee Zwarte Ridders bezoeken. Daarvoor wilde ik graag levend zijn.

7

Tegen de ochtend was mijn pak droog, althans zo droog dat ik het na een groot bord cornflakes en het nieuws van half-negen kon aantrekken. Ik wist niet zeker of we de oorlog aan het winnen waren, maar de Chicago Bears hadden de Pro All-Stars met 35-24 verslagen. Een nieuwslezer vertelde me dat Forest Lawn zijn zilveren jubileum als herdenkingspark vierde. Gesticht in 1917 op 55 hectare, was het in die vijfen-twintig jaar tot 303 hectare gegroeid. Ik begreep niet goed waar ze zo trots op waren, want sterfelijkheid en de trek naar het westen waren hiervoor verantwoordelijk. Toen kwam ik erachter dat John S. Bugosi, hoofd van de FBI in Detroit, een eenendertigjarige stenograaf in een station had gearresteerd 'wegens het verspreiden van kwaadaardige propaganda.'

De zon scheen en het was bijna 18 graden. De buil op mijn hoofd was beurs en paars geworden. Mijn knie was stijf. Hij deed geen pijn als ik hem met rust liet, maar ik kon hem niet buigen. Ik besloot naar een orthopedisch chirurg te gaan waarmee ik wel eens handbal speelde in de hoop op een plot-selinge, wonderbaarlijke genezing, voor ik naar Culver City zou vertrekken om te snuffelen rond het mysterieuze appar-tement dat Camile Shatzkin had bezocht. Tijdens de rit naar dr. Hodgdon op DeLongpre gebeurde er niets bijzonders: geen donkere Ford, geen vampierachtigen die op mijn mo-torkap sprongen. Ik hield mijn been recht en respecteerde zijn weigering om te functioneren. De radio kraakte, maar ik luisterde toch maar naar *Our Gal Sunday* die ene Peter vertelde hoe Lord Henry uit de brand was ontsnapt.

Dr. Hodgdons praktijk bevond zich in zijn twee verdiepin-gen tellende woning in een statige wijk. Vorige week had ik nog gedacht dat hij een endeldarmspecialist was, maar nu was ik blij dat dat niet het geval was. Ik had geen moeite met het vinden van een parkeerplaats, maar lopen was andere koek. Ik sleepte huppelend mijn been mee. Ik kwam voor-uit, maar het was een idioot schouwspel.

Er waren maar drie treden die ik met circusachtige behendigheid nam, plus een graai naar zijn naambordje plus de hulp van twee vrouwen die me opvingen toen ik op het punt stond ruggelings omlaag te donderen. Ze zagen eruit als een moeder-en-dochterset. De dochter was rond de vijftig en gebouwd als Broderick Crawford. Ze vingen me onder de armen en droegen me door de deur naar de receptioniste c.q. doktersassistente, een twijg van een schepsel met een mond waar een middelfijne erwt moeilijk naar binnen kon.

De dames Brod Crawford deponeerden me resoluut en dreunden toen als beroepsverhuizers naar buiten. Ik moest de balie beetpakken om niet om te vallen.

'Hebt u een afspraak met de dokter?'

'Nee,' zei ik. 'Ik ben een spoedgeval.'

'U moet toch een afspraak maken,' lispelde de assistente.

'Als ik deze balie loslaat, dan donder ik als King Kong omver,' legde ik uit.

Ze keek fronsend naar de twee patiënten die wachtten in wat eens een woonkamer was geweest, maar nu verbouwd was tot een amberkleurig, veel stoelen tellend opvangcentrum voor de lopende gewonden van Los Angeles. Eén patiënt was een stevige vrouw die haar gezicht in *Life* had gestoken. Ze had een indrukwekkende beugel om haar been. De andere patiënt was een vijftienjarige jongen met woest, bruin, ongekamd haar en zijn linkerarm in het gips.

'U moet echt een afspraak maken, meneer,' zei de assistente koppig.

'Kunnen tranen u vermurwen? Vertel de dokter nou maar dat Toby Peters hier staat te wachten, niet de eerste de beste.'

Ze drukte zich onwillig met beide handen op haar balie omhoog, misschien wilde ze wel een of ander gruwelijk geheim wapen aanspreken, ontleend aan de Rozenkruisers, waarmee ze de balie kon wegrukken. Het scheen of ze zoiets even overwoog, maar ze liep toen naar een deur aan de overkant van de amberkleurige kamer. De vijftienjarige keek me vijandig aan.

'Ik ben in mijn knie geschoten,' legde ik uit.

Hij knikte.

'Het doet echt pijn,' zei ik.

Hij kon geen medeleven opbrengen. 'Mijn schouder is gebroken. Op drie plaatsen,' overtroefde hij me. 'Een vrachtwagen.'

'Mijn broer heeft het gedaan,' zei ik.

'Als mijn broer zoiets deed,' zei de jongen die zich genotvol aan zijn fantasie overgaf, 'zou ik hem de oren van zijn kop trekken en ze door zijn strot duwen.'

Dr. Hodgdon kwam net op tijd om me de verdere uitvindingen van deze aankomende Vladimir de Spietser te besparen. Hodgdon was over de zestig, had een kop vol wit haar, een gebronsde huid en een slank lijf. Op het sportveld maakte hij een atletische indruk. Hier zag hij er gedistingeerd uit, als die gozer in die advertentie van Bayer aspirine. Hij beende op me af en pakte me kordaat bij de schouder. Hij hielp me zijn spreekkamer in terwijl de twijg van een assistente erbij stond alsof mijn zere been besmettelijk was.

'Wat is er gebeurd?' vroeg Hodgdon kalm en met beroepsmatige bezorgdheid.

'Dat heeft zijn broer gedaan,' zei de jongen verachtend. Hij leek me in de geest al bezig met een nieuwe confrontatie met zijn broer.

Hodgdon sloot de deur van zijn spreekkamer en hielp me op de onderzoektafel. De spreekkamer was vroeger de eetkamer geweest. Nu bevatte ze een bureau, een tafel, een kast, ingelijste diploma's en dergelijke. Het raam met een gordijn keek uit op een keurig geschoren gazon met twee citroenbomen.

'De jongen had gelijk,' zei ik en kronkelde tot ik gemakkelijk lag.

Hodgdon rolde mijn broekspijp op, voelde en frutselde aan mijn knie. Ik knarsetandde.

'Nou,' zei hij en ging rechtop staan, 'cello spelen kun je voortaan wel vergeten.'

Ik hield mijn mond.

'Zo slecht ziet het er niet uit,' zei hij. 'Hij doet wat pijn en hij zit iets scheef. Je hebt op die knie geslapen toen die op slot zat.' Hij demonstreerde wat 'op slot zitten' inhield door zijn vingers te kruisen. Het leek me een stevig slot.

'Ik moet röntgenfoto's maken,' zei hij. 'En jij moet rusten.'

'Daar heb ik de tijd niet voor,' zei ik. 'Hebt u niet iets waarmee ik het een paar daagjes kan volhouden? Het is een noodsituatie. Het gaat om leven en dood.'

Hodgdon draaide zich om en keek me strak aan.

'Ik kan proberen de zaak recht te trekken terwijl hij nog kwetsbaar is,' zei hij, 'maar dat doet gemeen pijn en ik zal zonder röntgenfoto's op de gok moeten werken. Als het lukt, kan ik je wel een spuit tegen de pijn geven. En je moet ook een knieverband. Ik denk dat…'

'Doe het maar,' zei ik.

'Oké,' zei hij en liep naar de tafel. Boven zijn schouder hing een foto van Thomas Dewey, gouverneur van New York, aan de muur. Ik keek in Dewey's oogjes en probeerde niet naar Hodgdon te kijken die mijn knie weer voelde en hem toen van achter en voor tussen zijn handen nam. Ik wist dat zijn handen en armen sterk waren. Die hadden de afgelopen drie jaar alsmaar kleine, zwarte balletjes langs mijn hoofd gejaagd. 'Houd je vast.'

Ik gilde het uit, totaal overrompeld, Tom Dewey had er minder moeite mee. Pijn had ik verwacht, maar geen marteling. Mijn ogen vulden zich met tranen. Toen ik weer kon zien, zag ik dat dr. Hodgdon mijn knie boog.

'Ik denk dat je geluk hebt gehad,' zei hij. Hij liep naar zijn kast, maakte die open, pakte een kolossale injectienaald en vulde die met een heldere vloeistof.

'Ik zou die knie eigenlijk rust moeten geven,' zei ik toen hij op me afkwam. Hij spoot een straaltje omhoog om te zien of de spuit goed gevuld was.

'Het is nu zo voorbij,' zei hij en greep mijn dij stevig vast. Weer keek ik Dewey in de ogen. Hodgdons vingers betastten mijn knieschijf, ze vonden een plekje en hij duwde de naald erin. Deze keer beet ik op mijn tanden.

'Over een paar minuten zul je geen pijn meer voelen en kun je lopen,' zei hij en legde de injectienaald voorzichtig op een bakje. Hij maakte het onderste deel van zijn kast open en pakte een elastisch knelverband. Hij had er ongeveer tien seconden voor nodig om hem over mijn knie te schuiven. 'Kom over een paar dagen terug. En geef dat been rust zodra je kunt. Dat is het enige wat hij nu nodig heeft. En handballen kun je wel een maandje vergeten. Ik stuur je een rekening.'

Drie minuten later wandelde ik door de wachtkamer langs de stevige dame met *Life*, de twijgachtige doktersassistente en de jongen in het gips. Ik keek niet naar hen maar was er zeker van dat ze allemaal misprijzend hun hoofd schudden. Ik deed de deur open, liep de trap af en toen naar mijn wagen, zeer verbaasd hoe weinig last de knie me bezorgde, maar ik bleef daar niet over nadenken. Ik reed terug naar Culver City en het geheime rendez-vous van Camile Shatzkin. Het leek me de titel van een fraaie soap opera, maar ik wist niemand aan wie ik hem kon slijten.

De betreffende flat was duidelijk aangegeven door het ontbreken van een naambordje. Er was post in de brievenbus, maar ik kon niet lezen aan wie hij was gericht, vermoedelijk aan 'bewoner'. Ik drukte op de bel. Niemand deed open. Toen probeerde ik de bel met LEO ROUSE, CONCIERGE. Een bel vlak in de buurt maakte me duidelijk dat Leo Rouses appartement zich op de begane grond bevond, en een binnendeur die openging bevestigde mijn briljante observatie.

Rouse liep tegen de zestig. Hij had een enorme pens en evenveel tanden als haren, namelijk zes. Hij droeg een overall en een flanellen shirt en kauwde verwoed op iets.

'Meneer Rouse?' vroeg ik door de gesloten glazen binnendeur.

'Ja,' gromde hij.

'Ik wil u graag even spreken.' Ik maakte mijn portefeuille open en liet hem een kaartje zien. Hij maakte de deur open, maar nodigde me niet uit naar binnen te komen.

'Meneer Rouse, ik heet Booth, Lorne Booth, en ik kom van California National Bank.'

'Op dit kaartje staat anders dat u Jennings bent van de ontstoppingsdienst,' zei hij wantrouwig.

Ik lachte. 'Ach, dat kaartje heb ik vanmorgen van Jennings

gekregen. Ze maken een offerte voor een flatgebouw op Van Nuys waar ik belangstelling voor heb.'

Rouse hield zijn hoofd scheef en bleef doorkauwen. Ik schatte dat het ongeveer zes tot twaalf uur kon duren eer hij datgene waarmee hij bezig was, had ingeslikt, laat staan verteerd. Het moest iets vlezigs zijn dat hij met malende tanden wilde temmen.

'Ik ben belast,' zei ik haastig, 'met een controle naar de solvabiliteit van twee rekeninghouders die een kleine zakelijke lening willen sluiten. Toevalligerwijs verblijven ze allebei in dit gebouw.'

'Wie?' vroeg hij.

'Long op de eerste en de bewoner van appartement 2 G. Ik heb alleen het adres, maar mevrouw Ontiveros heeft vergeten de naam in te tikken. Ze is nogal overstuur omdat haar broer Sid dienst heeft genomen en...'

'Wat wilt u?' vroeg Rouse.

'Hoe lang woont Long al in dit gebouw?'

'Drie, vier jaar. Ze hebben geen cent om te investeren. Ze kunnen amper de huur op tijd betalen.'

'Blij dat ik het weet,' zei ik. 'Dat is nu net die informatie die ik nodig heb. En nu 2 G. Dat is...'

'De heer en mevrouw Offen,' maakte hij mijn zin af. 'Daar weet ik niets van.'

'Hoe lang wonen die al hier?' vroeg ik zoetsappig.

'Drie maanden, maar ze wonen er niet. Ze hebben alleen de flat gehuurd. Ze slapen er nauwelijks. Ik zie ze bijna nooit.'

'De Offens die een lening hebben aangevraagd moeten heel anders zijn,' zei ik verbouwereerd. 'Kunt u ze beschrijven?'

'Zij is wat jonger dan u. Sommigen zullen haar wel knap vinden, maar ik noem het hoerig. Hem heb ik nooit gezien. Zij betaalt de huur. Hun flat is recht boven de mijne. Heel af en toe hoor ik zijn stem en die van een andere vent.'

'Dat lijkt me niet zo leuk,' zei ik. Ik leunde tegen de muur en duwde mijn hoed naar achteren. 'Ik zal open kaart met u spelen, meneer Rouse. Ik zie dat u een man bent die een geheim kan bewaren. Ik heb deze lening op voorwaarde goedgekeurd en mijn baan loopt ernstig gevaar als ik een fout bega. Bartkowski van hypotheken zit vlak voor zijn pensioen en ik zou hem graag willen opvolgen. Mag ik even de flat van de Offens bekijken, heel, heel discreet, het betekent veel voor mij.' Ik trok een briefje van vijf uit mijn portefeuille en toen nog een. Rouse hield op met kauwen, liep zijn flat in en wisselde woorden met een krijsende vrouw voor hij terugkwam. Hij hield een bos sleutels in zijn linkerhand en zijn rechter hield hij met de palm naar boven uitgestoken. Ik stopte er de twee biljetten in en hij ging me voor, de trap op. Het trappehuis was donker en muf, hoewel het gebouw me hooguit tien jaar oud leek.

'Worden alle flats verhuurd?' vroeg ik.

'Klopt,' zei hij en stak de sleutel in 2 G. De deur floepte open. Hij stapte naar voren en ging midden in de kamer staan. Het was duidelijk dat hij niet van plan was me hier alleen te laten.

'Het enige wat ik nodig heb,' zei ik, 'is een of ander bewijs van financiële stabiliteit. Een chequeboek, betaalde rekeningen, dat soort dingen.'

Rouse gaf geen antwoord. De kamer was klein en grillig gemeubileerd met stukken die niet bij elkaar pasten. Het tapijt was donkergroen en de kamer rook stoffig. Ik probeerde laden, tafels en de kussens op de bank. Ik doorzocht zelfs de vuilnisbak, maar die was leeg. In de koelkast bevonden zich drie flesjes bier en een fles wijn. Er was geen telefoon. De enige aanwijzing dat iemand van deze twee kamertjes gebruik maakte was het niet opgemaakte bed. Iemand had daarin geslapen of er gebruik van gemaakt.

Ik trok een smartelijk gezicht, een gezicht zo door het geluk verworpen dat het het einde van naties en carrières signaleerde.

'Niets,' zuchtte ik, maar Rouse gaf geen antwoord. 'Ik vind dit bijzonder verontrustend, meneer Rouse, en ik vraag me af of ik u nog iets mag vragen. Als u meneer en mevrouw Offen thuis hoort komen, en het doet er niet toe op welk uur, desnoods midden in de nacht, wilt u dan het nummer bellen dat ik nu op de achterkant van dit kaartje zal schrijven? Mijn dankbaarheid is vijf dollar erbij.'

'Goed,' zei Rouse.

Iemand kwam de donkere trap op toen we de deur dicht deden, maar ik besteedde daar geen aandacht aan tot de voetstappen plotseling ophielden, misschien vijf, zes treden onder ons. Ik keek omlaag, maar het licht was zo zwak dat ik hooguit een mager silhouet zag. Ook Rouse keek omlaag. De gedaante staarde ons een harteklop aan en rende toen met veel stampei de trap af waarbij hij drie of vier treden oversloeg. Ik dacht erover na omlaag te rennen, maar de dichtknallende deur en mijn knie lieten me weten dat dat weinig zin had. De gedaante leek verdacht veel op die vent die me op het parkeerterrein van Wilson Wong had aangevallen.

'Wie was dat?' vroeg ik Rouse, maar deze haalde zijn schouders op. 'Ik heb hem niet goed gezien. Hij moet een sleutel hebben, anders had hij er niet in gekund. Ik heb tenminste geen bel gehoord.'

Ik kon mijn bankierskaartje niet vinden en schreef dus mijn telefoonnummers maar op het kaartje van de onstoppingsdienst. Ik vroeg hem naar mijn assistent, meneer Peters, te vragen en die de boodschap door te geven.

Ik wist niet of Rouse me nu geloofde of niet, maar ik vermoedde dat het hem niet kon schelen. Hij geloofde alleen in vijf-dollarbiljetten.

Er zijn tijden in het leven van een mens dat hij oog in oog komt te staan met de Groene Ridder, Mefisto of King Kong. De meesten hebben geen behoefte aan zo'n confrontatie. Maar als men ervoor betaald krijgt... Ach wat, er zijn zaken waar een kerel niet omheen kan lopen. Dat was geloof ik een zin van Gary Cooper. De zaak waar ik niet omheen kon lopen heette Haliburton en ik wist waar ik hem kon vinden, in het huis van de familie Shatzkin op Bel Air. Ik stond bepaald niet te popelen om Haliburton weer onder ogen te komen, maar ik moest weer een gesprek met Camile Shatzkin hebben.

Achter me doemde een wagen op, maar hij bleef op afstand. Ik zag langzamerhand overal donkere Fords. Ik zag hem niet meer toen ik op Bel Air aankwam, waar dezelfde man als bij de vorige keer aan het hek stond.

'Komt u op de begrafenis van meneer Shatzkin?' vroeg ik voordat hij met een redelijke vraag kon komen waarom ik nu weer verschenen was.

'Ik ben bang van niet,' zei hij.

'Jammer,' zei ik. 'Het wordt een heel mooie begrafenis.' Hij keek alsof hij iets wilde zeggen en daarom reed ik langzaam door. 'We plannen iets bijzonders in verband met het jubileum van Forest Lawn,' zei ik en wuifde ten afscheid.

Zijn ogen bleven op mijn auto gericht toen ik langzaam de weg naar Chalon insloeg. Die auto van mij verpestte elke vermomming. Het was al moeilijk genoeg om een rol te spelen zonder dat een rottend karkas op wielen door een klungel geverfd me telkens verraadde. Ik wist waar ik een Studebaker uit 1939 voor 300 dollar kon krijgen, als ik aan 300 dollar kon komen. Mijn leven zou er gemakkelijker door worden, maar mijn ex-vrouw zei altijd dat ik niet zou doen wat ik nu deed als ik werkelijk een gemakkelijk leventje wilde.

Ik controleerde mijn pistool en knoopte mijn jasje open om hem zo nodig te laten zien of zelfs te pakken. Dat was bezien vanuit het standpunt van een detective van bijna middelbare leeftijd een noodzaak. Ik voelde me even nobel als stom. De chauffeur bevond zich niet in de garage. Voor ik de auto had geparkeerd was Haliburton al buiten. Hij rende op me af met wapperend overhemd en in zijn rode ogen glom een gloed van verrukkelijke wraak. Hij was de forensentrein van vijf uur die door een open overweg reed. Ik stapte vlug uit, maar al te zeer bewust van het knarsende grint dat onder zijn voeten wegspatte. Toen hij op enkele meters was, deed ik mijn colbert open zodat hij de .38 kon zien. Dat vertraagde hem, maar bracht hem niet tot stilstand. Ik greep het pistool en spande hem. Hij bleef op bijna raak-afstand staan. Hij had niet ver gelopen, maar hijgde van de opwinding.

'Jij schiet niemand neer,' zei hij.

'Is dat een vraag?'

Hij deed een stap naar voren en ik schoot een kogel tussen zij benen door. Aangezien ik veilig een meter of twee links van hem had gericht, wist hij niet hoe gelukkig hij was dat hij nog leefde. Hij deinsde naar achteren, zo diep geschokt dat hij niet in de gaten had hoezeer ìk geschokt was.

'Overval en poging tot moord,' zei hij.

'Ach barst,' zei ik en stak mijn wapen weg. 'Ik heb mijn hele leven al met een strakke smoel gelogen. Ik heb niet op jou geschoten. Ik heb zelfs geen wapen bij me. Ik ben een ex-diender en mijn broer is bij de recherche. Ik wed drie tegen een dat de politie je vierkant uitlacht.'

'Ik krijg je wel, mannetje, als je je pistool niet bij je hebt,' zei hij. Hij wees met zijn rechterhand naar mij en gebruikte de linker om het lange haar uit zijn gezicht te vegen.

'Dat zal niet nodig zijn,' zei mevrouw Shatzkin vanuit de deuropening. Ik draaide me naar haar toe. Ze droeg nog steeds weduwezwart, maar dit kostuum was meer aan het lijf gegoten en minder somber. Op de vierde dag na het overlijden van haar man zou ze waarschijnlijk in het wit met bloemetjes gekleed gaan. 'Ik heb de politie al gebeld.'

'Dan stel ik voor dat u terugbelt om te zeggen dat het een vergissing is geweest,' zei ik.

Ze had de deur al dicht willen doen, maar ik gooide er snel uit: 'Misschien is de politie geïnteresseerd in een klein flatje dat mevrouw Offen in Culver City gehuurd heeft.'

De deur ging niet verder meer dicht, maar open. Mevrouw Shatzkin keerde zich om en de zon scheen in haar gezicht.

Dit was de eerste keer dat ik haar echt verdrietig zag.

'Haliburton,' zei ze met bijna krakende stem. 'Bel de politie. Zeg dat het een vergissing is geweest en dat ik heb gedacht dat ik een insluiper hoorde. Verzin maar wat.'

Haliburton keek stomverbaasd van haar naar mij.

'Ik kan…' begon hij en keek me aan met gebalde vuisten en op elkaar geklemde kaken.

'Meneer…' zei ze.

'Peters,' zei ik.

'Meneer Peters zal hier niet lang blijven. En het lijkt me het beste dat je je onenigheid met hem maar vergeet. Ik was zaterdag erg overstuur.'

'Wilt u dat we elkaar de hand drukken?' vroeg ik.

'U hoeft niet sarcastisch te doen, meneer Peters,' zei ze.
'Het spijt me van je teddybeer,' zei ik tegen Haliburton en liep hem straal voorbij naar binnen. Mijn rug werd stijf nu hij achter me stond, maar ik liep door. Je hebt van die ogenblikken. De adrenaline stroomde welig en ik werd gedreven door een demon. Ik volgde mevrouw Shatzkin naar een gerieflijke woonkamer met dikke vloerbedekking die eruitzag alsof hij door geen mensenvoet ooit was beroerd.
Ze zette zich in een fauteuil neer, gebaarde naar de bank tegenover haar en vouwde haar handen in haar schoot. Het rood van haar vingernagels weerkaatste flitsend een zonnestraal. Ze was weer zichzelf.
'Bent u afperser, meneer Peters?' vroeg ze en haar kin schoot omhoog om haar verachting jegens zulk een specimen aan te geven.
'Nee,' zei ik, nam mijn hoed af en legde hem in mijn schoot. 'Ik ben wat ik heb gezegd, een privé-detective die zijn best doet om erachter te komen wie uw man heeft vermoord, in de hoop dat het niet zijn cliënt is.'
'Meneer Faulkner heeft Jacques vermoord,' zei ze met nadruk. 'Ik was…'
Mijn hoofd had als een metronoom nee geknikt vanaf haar eerste woord en ze hield abrupt op.
'Met wie deelt u die flat in Culver City?' vroeg ik op zachte toon.
Haar gezicht werd rood. Even zag Camile Shatzkin er meer als een mens dan als een mannequin uit, maar ze verviel weer in haar rol.
'Dit heeft niets te maken met de moord op Jacques,' zei ze. 'Hij is acteur, hij heet Thayer Newcomb. En hij wordt er absoluut niet wijzer van dat Jacques nu dood is. Hij wist dat ik toch nooit met hem zou trouwen en dat ik hem zou minachten als hij Jacques iets aandeed. En ik wil hem trouwens nooit meer zien. Nu pas weet ik hoeveel ik van Jacques gehouden heb.'
Ze hield haar hoofd omlaag en vanuit het niets was een zakdoek verschenen. Ze vermande zich en gooide het nu over een andere boeg.

'Meneer Peters, ondanks deze woning en Jacques' zaak...'
'Plus zijn verzekering?' vulde ik haar zin aan.
'... en zijn verzekering,' beaamde ze, 'ben ik niet echt rijk.
Ik betwijfel of er nog 800000 dollar overschiet na de belasting.'
'Zoveel verdriet, en dan nog die som erbij,' zei ik.
Ze ging woedend staan, keek naar mijn rustige, bebeukte gezicht en ging weer zitten.
'Terwille, maar alleen terwille van Jacques' reputatie en – dat geef ik toe – die van mij, wil ik u graag een honorarium aanbieden voor uw diensten als u geen gewag meer maakt van wat u hebt ontdekt.'
'En hoe groot is dat honorarium?' vroeg ik.
'Zullen we zeggen 20000 dollar?' vroeg ze.
'Zullen we zeggen 50000 dollar?' vroeg ik.
'Goed dan,' zei ze. 'Maar ik heb een schriftelijke verklaring van u nodig met uw garantie dat u verder geen honorarium meer bedingt.'
Mijn hoofd schudde weer van nee.
'Geen geld,' zei ik.
Ze werd weer rood en beet op haar lip. 'Ik kan natuurlijk...'
'En ook geen aanbiedingen van het vlees,' zei ik. 'Ik heb geen enkele ambitie. Maar dan ook absoluut niet een. Ik heb geen geld nodig, ik wil het ook niet. Ik heb geen droom die met geld te koop is. Wat ik alleen maar nodig heb is iets meer dan ik nu verdien, niet een heleboel meer, maar iets meer. En ik laat me niet omkopen met een paar honderd dollar. Dat is wel eens een handicap, maar mijn reputatie blijft er schoon door en mijn pak oud.'
'En als u naar dat grote detectivebureau van Pinkerton daar hoog in de hemel gaat,' spuwde ze, 'dan wordt u misschien beloond met een baantje als nachtwaker aan de poort van de hemel.'
'Of van de hel,' vulde ik haar zin aan. 'Dat zou ik best willen. En wat dat gezellige leventje betreft dat u en ik konden hebben, wel, ik zie u niet zo gauw gezellig met mij op zaterdagavond naar het worstelen gaan. Nee, mevrouw Shatzkin, wat ik wil is dat ik hier straks naar buiten loop met iets min-

der nieuwsgierigheid over uw vriendje en iets meer vertrouwen in de onschuld van William Faulkner.'

'Het spijt me dat u er zo over denkt, meneer Peters,' zei ze en ging staan. Ik volgde haar voorbeeld. 'Mocht u van gedachten veranderen, aarzel dan niet mij te bellen. Maar moet ik nu aannemen dat u met uw inlichtingen over mijn privé-leven naar de politie stapt?'

'Nee,' zei ik en liep naar de deur. 'Ik denk dat ik maar eens een praatje met Thayer Newcomb ga maken. Bent u misschien bereid mij het werk te vergemakkelijken? Ik bedoel, wilt u mij zijn adres geven?'

Haar mond werd strak en haar borsten gingen omhoog. Ze was Jeanne d'Arc die haar stemmen verdedigde, een nobele gedaante.

Ik ging zonder escorte naar buiten en deed de deur achter me dicht. Haliburton stond bij mijn wagen. Hij had de politie teruggefloten, maar niet zichzelf.

'Geen moeilijkheden,' zei ik en hield mijn colbertje open.

'Geen moeilijkheden,' zei hij nederig. 'Maar eh… wat bedoelde jij met die opmerking over Culver City… ik bedoel, wat bedoel je?'

Haliburton was een gekwetst, jaloers hondje, wachtend op de zweep of een bevel. Maar die kon hij van mij niet krijgen.

'Ik kan er niet veel over zeggen,' zei ik en stapte mijn wagen in. Hij hield de deur vast zodat ik hem niet dicht kon doen. 'Het heeft te maken met een particuliere transactie van meneer Shatzkin.' Hij liet de deur los en ik deed hem dicht, maar ik draaide het raam open. 'Haliburton, ik weet dat je het niet zult doen, maar als ik jou was, pakte ik mijn biezen en ging er vandoor. Maar dat doe je toch niet. Die Medusa heeft je versteend.'

'Medusa?'

'Laat maar zitten,' zei ik en reed weg. Net als de vorige keer zag ik Haliburton in mijn achteruitkijkspiegel verschrompelen, maar deze keer was hij een verslagen monster. In die schouders school geen wraak meer, alleen verwarring.

Ik vond een telefoon en belde Martin Leib die me zei dat ik maar eens met Thayer Newcomb moest praten, maar veel fiducie had hij er niet in. Hij vroeg me even bij hem te komen om Faulkner instructies te geven. De borgsom zou vanmiddag betaald worden en dat betekende ook dat het nu praktisch onmogelijk was het nieuws van zijn arrestatie tegen te houden.

'Zelfs met medewerking van de officier betwijfel ik of we de zaak langer dan een dag uit het nieuws kunnen houden,' zei Leib. 'Met geluk zijn het er twee. William Faulkner zal met de publiciteit moeten leren leven.'

'En Warner Brothers?' vroeg ik.

'Die zullen andere opties in overweging moeten nemen,' zei hij als de goede jurist die hij was.

'Dat betekent dat die goeie, ouwe Billy Faulkner de zak krijgt.'

'De studio is geen liefdadige instelling,' bracht Leib me in herinnering en hij hing op.

Faulkner keek uit het raam van zijn cel. De cipier zei dat ik niet naar binnen mocht. Ik herinnerde hem eraan dat ik de vertegenwoordiger van de advocaat was. De cipier zei dat ik voor mijn part de reet van een rat kon vertegenwoordigen.

'Eigenaardig type,' zei Faulkner en liet met een gebaar merken dat de cipier niet meer voor hem bestond.

'Ik heb een aardige aanwijzing,' zei ik tegen Faulkner. 'Kent u Thayer Newcomb?'

Faulkner beroerde zijn snor met zijn duim en dacht enkele ogenblikken na. 'Ik vrees dat die naam voor mij geen betekenis heeft.'

'De mogelijkheid bestaat,' zei ik, 'dat hij u in de val heeft gelokt of anders aan die val heeft meegewerkt.'

'Waarom zou een volslagen vreemde zich al die moeite getroosten om mij de moord van Shatzkin in de schoenen te schuiven?' vroeg Faulkner.

'Al slaat u me dood,' zei ik.

'Laten we hopen dat het niet zover komt,' zei hij. 'Ik breng de tijd hier door met het uitwerken van mijn eigen mysterieverhaal, dat even ordelijk en logisch zal zijn als het leven niet is, zo ordelijk als een partij schaak.'

'Vol zwarte dames,' zei ik.

'Bent u wel goed, meneer Peters?' vroeg hij met een blik die sarcasme kon betekenen of verdriet.

'Nee,' zei ik. 'Ik kijk zo weinig mogelijk in de spiegel. En hoe is het met u?'

'Aha,' zuchtte Faulkner. 'Ik zie mezelf in een hotelkamer, alleen, omringd door enkele flessen Old Crow en dan zie ik mezelf met een groepje vrienden de hele nacht doorbrengen op een eiland bij mij thuis, iedereen druk bezig met barbecuen, spitten omdraaien, inkwasten en het zingen van positieve liederen.'

Van een blik in de spiegel had hij zich nu smachtend tot de toekomst gewend.

'Ik doe mijn best,' zei ik, maar Faulkner had zich al weer tot het raam gewend.

De cipier bracht me naar buiten en klaagde over zijn zere voeten. Ik had hem verhalen over zere voeten en knieën kunnen vertellen, maar hij zou toch niet geluisterd hebben. Hij was een prater. Ik was een luisteraar.

Met een handvol muntjes op zak vond ik een telefoon in een bar vanwaar ik het kantoor van Shatzkin belde. Ik kreeg mevrouw Summerland aan de lijn en kwam erachter dat Thayer Newcomb geen cliënt was. Ze had de naam nog nooit gehoord en de juffrouw van de centrale kon me ook niet helpen. Ik probeerde de belangrijke agenten, maar kreeg ook hier nul op mijn rekest. Mijn muntjes waren bijna op. Ik probeerde de laatste en keek over mijn schouder of iemand haast had om te bellen, maar ik zag geen mens. Toen kreeg ik beet. Panorama Talent Agency had Newcomb onder haar cliënten. Ik zei dat ik zijn broer James was, een priester uit Dallas, die enkele uren vrij was en graag zijn broer wilde zien. De juffrouw verschafte me zijn adres, het Augusta Hotel. Ik zegende haar en hing op. Op zijn kamer in het Augusta werd niet opgenomen.

Mijn aanwijzingen in de zaak-Faulkner dreigden op niets uit te lopen. Ik kon natuurlijk Newcomb later nog een keer bellen of anders bivakkeren in de hotellobby tot hij daar verscheen. Maar ondertussen kon ik ook voor Lugosi werken.

Ik dronk een bier aan de bar en luisterde samen met de barkeeper naar Vic 'n'Sade. Het was vlak voor één uur en het was niet druk in de bar. Ik vroeg of hij iets te eten had en hij zei dat hij wel wat kaas kon klaarmaken met een paar sneden brood en mosterd. Ik antwoordde dat dat me fantastisch leek. Toen hij ermee aan kwam zetten, zag het er onsmakelijk uit en er zat een grote duimafdruk op de kaas, maar de smaak was goed en hij liet me wegdrijven in de amberkleurige duisternis van bar en bier.

De volgende halte was Clinton Hill, de aannemer die tevens Zwarte Ridder was. Hij was de man met de afzakkende pruik en de voyeursneigingen, had Wilson Wong gezegd. Ik vond het bedrijf in Inglewood precies waar het moest zijn, maar Clinton Hill trof ik niet aan. Zijn broer was de Hill van de firma. De man die ik moest hebben, zei het engelachtige meisje achter de balie, was assistent-bibliothecaris van het St. Bartholomew's College, enkele kilometers verderop. Hij liet zijn post bij het aannemersbedrijf bezorgen en volgens het meisje maakte hij soms de mensen wijs dat het zijn bedrijf was.

De bibliotheek was enkele straten verderop in een verrassend groot, oud stenen gebouw. Verrassend omdat de school zelf bestond uit vijf vervallen stenen gebouwen omsloten door een roestig hek en enkele hectaren gras dat nodig gemaaid moest worden.

Ik vond een plekje en zag een donkere Ford een straat voor mij langzamer gaan rijden. Ik keek enkele seconden toe terwijl hij aarzelde. Toen reed hij door. Ik besloot het kentekennummer van elke donkere Ford die ik zag op te schrijven, om vervolgens na te gaan of er herhalingen bij waren, zodat ik kon bewijzen een scherp waarnemer, bang of beide te zijn.

De bibliotheek was indrukwekkend, als een kapel uit een ander land. De lobby was van marmer en donker hout en de als een kathedraal zo grote zaal met gebrandschilderde ramen was log, somber en solide. De gebrandschilderde ramen toonden heiligen in diverse stadia van smart of extase. St. Bart was de ster van de show, hij was met al die pijlen bijna een stekelvarken. Ik keek omlaag naar wereldser zaken in het vrijwel verlaten mausoleum. Enkele studenten zaten aan massieve tafels met boeken. Achter de houten balie, die een beschermende cirkel was, stond een bibliothecaris, een uitgedroogde, lange man in donker kostuum. Hij droeg zelfs een pince-nez.

'Ja?' zei hij toen ik op hem afliep. Hij liet duidelijk merken dat ik hier niet hoorde.

'Chadwick,' zei ik. 'Professor Irwin Chadwick, antropologie, Universiteit van L.A. Onlangs had ik met een van uw bibliothecarissen een gesprek, ene meneer Hill, en hij vertelde me over uw collectie boeken over occultisme. Ik vroeg me af of hij misschien hier is om me een handje te helpen.'

De uitgedroogde man liet darmgassen hun werk doen en dit had wel iets weg van een menselijk respons.

'Meneer Hill is geen echte bibliothecaris,' zei hij. 'Maar hij werkt wel in de bibliotheek. Hij zet voornamelijk boeken terug. En hij heeft inderdaad kennis van en belangstelling voor het occulte. Als u daar door de rijen loopt, zult u hem wel aantreffen, vermoedelijk bij het tweede souterrain, rond de nummers vierhonderd.'

'Bedankt,' zei ik en liep in de door hem aangewezen richting.

'Graag gedaan, dr. Chadwick,' zei hij.

Achter ons ging de hoofddeur open, maar ik draaide me niet om om te zien wie dat was. Ik liep langs smalle rijen boeken op metalen rekken van ongeveer drie meter hoog en vond een wenteltrap die naar omhoog en omlaag voerde. Ik ging langzaam omlaag en probeerde geen lawaai te maken. Bij het eerste souterrain werd licht verschaft door enkele kale pitjes en een paar stoffige ramen die vermoedelijk op maaihoogte waren. Ik keek de boekenrijen langs en zag geen mens. Het rook hier naar verfrommeld papier. Ik zakte weer een verdieping. De wenteltrap rammelde bij de moeren en bouten, maar dat had hij vermoedelijk al een generatie lang gedaan.

Op de tweede verdieping zag ik nog minder pitjes, die bijna geen licht gaven, en er was geen een raam. Ik sloeg linksaf en zag dat het plafond ook zo was uitgevoerd. Ik kreeg een onbestemd, hol gevoel over me dat ik niet plezierig vond. Een verdieping lager bevatte nog meer boeken, maar daar was het nog donkerder en misschien was daaronder nog een verdieping. IK dacht dat ik een geluid boven me hoorde en keek omhoog. Die beweging veroorzaakte een echo. Ik raakte mijn pistool aan. Daar raakte ik langzamerhand verslaafd aan. Nog een paar confrontaties en vroeg of laat zou hij uit mijn holster flitsen en zou ik mezelf per ongeluk neerschieten.

'Meneer Hill,' fluisterde ik met hese stem en liep verder de gang in tussen de boekenrekken. Enkele rekken waren verlicht, maar de meeste waren in het duister gehuld. Aan elke lamp hing een touw en om een lamp aan te doen moest je in het halfduister boven je hoofd graaien.

Ik liep langzaam verder en keek in elke dwarsgang. Ik probeerde door de hoeken heen te zien, maar bleef zelfverzekerd kijken voor het geval zich iemand in een nis verborgen hield. Dan zou hij of het kunnen denken dat ik hem gezien had.

'Meneer Hill,' herhaalde ik. Ik was nu bijna aan het einde van de gang en stond tegenover een stevige muur. Ik zag daar een tweede wenteltrap omhoog en omlaag gaan. Ik weifelde welke richting ik zou kiezen toen ik een rommelend geluid achter me hoorde. Iets bewoog zich snel en lawaaiig uit een donkere dwarsgang vol overmaatse boeken. Ik pakte mijn wapen en ging met mijn rug tegen de wenteltrap staan.

'Stop,' gilde ik en mijn stem echode onder en boven mij. Het geluid hield op en ik zag nu een gedaante in de duisternis.

'Riep u mij?' zei het wezen.

'Hill?'

'Ja,' zei hij en stapte naar voren. Hij duwde een boekenkarretje voor zich uit. Dit had het lawaai gemaakt op de metalen roostervloer. Hij was dezelfde man die ik bij de Zwarte Ridders had gezien, maar zonder het zwarte haar. Hij had wat haar, maar het was niet de moeite waard om dat te redden. Angstig keek hij naar mijn wapen dat ik wegstopte.

'Sorry, zei ik. 'De afgelopen dagen heb ik een paar keer de zenuwen gekregen. U weet wie ik ben?'

Een golf van verbittering spoelde over Hills gezicht.

'U was vrijdag bij de bijeenkomst van de Zwarte Ridders. 'U bent geen lid. Hoe hebt u me kunnen vinden?'

Er klonk een snik door zijn stem.

'Ik…'

'Ik kap ermee,' zei hij, bijna hysterisch. 'Billings heeft beloofd, in bloed heeft hij beloofd nooit onze identiteit te onthullen.'

'Bloed?' zei ik.

'Namaak mensenbloed,' zei hij. Ik keek of hij me bedonderde en hij lichtte de kwestie toe. 'Kippebloed.'

'Ik ben privé-detective,' zei ik. 'Ik heet Toby Peters. Ik zal u niet lang ophouden en het kan mij persoonlijk niet schelen of u met die Zwarte Ridders of Witte Tulpen kapt, maar ik wil een antwoord.'

Hill probeerde zijn wagentje langs mij te duwen, maar ik trapte het met mijn goede been terug waardoor hij klem kwam te staan in het smalle gangetje.

'Iemand probeert Bela Lugosi bang te maken. En het kan zelfs uit de hand lopen. Ik ben er verdomd zeker van dat een van de Zwarte Ridders er meer van weet. Ik denk dat er nu nog twee verdachten zijn. En jij, ouwe vleermuis, bent daar een van.'

'Nee, riep Hill uit. 'Ik ben niet een van die mensen. Ik ben er alleen maar om te kijken. Ik zou nooit iets… ik kan niet eens… Ik sta daar maar en houd mijn mond dicht. Ik kon niet eens het kippebloed aanraken voor de ceremonie. Vraag het maar aan de graaf.'

'Billings?'

'Ja,' riep hij uit. 'Hier woon ik, in deze bibliotheek. Ik ga alleen naar buiten om wat te eten, om mijn post op te halen en om naar de bijeenkomsten te gaan. Ik kan geen vlieg kwaad doen. Ik ben vegetariër.'

'Vegetariër?'

'Ja,' zei hij.

'Wat heeft dat… Laat maar zitten.' Als hij niet eens bloed

kon zien, zou hij zeker geen gespietste vleermuis naar Lugosi gestuurd hebben. Ik zou zijn verhaal natuurlijk natrekken, maar ik had het gevoel dat hij de waarheid sprak. En nu bleven er maar verdomd weinig Zwarte Ridders over.
'Ik leef praktisch op roomijs,' vervolgde hij.
'Oké,' zei ik. 'Laat maar zitten. Ik ben hier niet geweest.'
'Gaat u het ze vertellen?' jammerde hij. 'Wie ik echt ben en wat ik echt doe?'
'Nee,' gilde ik terug. 'Wees maar niet bang.'
Hij werd met een zacht snikje stil en ik snelde naar de trap die mij naar beneden had gebracht, maar iets deed me verstarren. In sommige dwarsgangen hadden lampen gebrand, maar die waren nu allemaal uit. Misschien was het wel een massale vermoeidheid van oude gloeilampen of anders mijn verbeelding. Even dacht ik erover na terug te gaan, naar de tweede trap, maar dat betekende dat ik weer met Hill te maken zou krijgen en zijn totale instorting was me te gortig. Ik pakte mijn pistool en liep centimeter voor centimeter naar voren, maar ik maakte nog steeds lawaai. Ik zag niemand boven of onder mij bewegen en kon achter me niets horen.
Bijna had ik de trap gehaald en mezelf overtuigd dat vrees gekke dingen in een mens aanricht. Maar toen doemde die vrees weer op. Hij was vrijwel geluidloos en overviel me als een spook in een droom. Ik hoorde iets achter me, lucht die verplaatst werd en een in zwarte cape gehulde gedaante rende gebogen uit een dwarsgang naar voren. Ik deinsde naar achteren, struikelde, viel op mijn achterste en stak mijn wapen omhoog. De zwarte figuur gaf een trap tegen mijn pols en het wapen vloog uit mijn hand, raakte een boekenkast en ging af. De kogel sneed de ruimte tussen het gezicht van de zwarte gedaante en dat van mij, waardoor hij even zijn trap inhield. Ik kon het wapen op de metalen vloer horen vallen en toen op iets daaronder. Ik gaf mijn lichaam opdracht snel te bewegen. Het gehoorzaamde en de volgende trap miste mijn hoofd. Ik trapte terug en raakte de ander ongeveer ter hoogte van de maag. Hij kreunde van de pijn en iets kletterde vlak bij mijn hoofd tegen een rek. Hij had een zwaar voorwerp in de hand en probeerde datgene wat er van mijn

hersenen over was, uit te spreiden over sectie 400 van de bibliotheek van St. Bartholomew.

Genoeg is doorgaans genoeg, hoewel ik heb gemerkt hoe verbazingwekkend veel meer het menselijk lichaam kan verdragen. Ik kroop op mijn knieën overeind, negeerde de pijn en sloeg mijn armen om de man die me wilde vermoorden. Hij wilde me weer met zijn eind ijzer slaan, maar nu was ik te dicht bij hem en hij raakte me op het vlezige deel van mijn achterste. Wanhopig zette ik mijn tanden in zijn buik. Hij gilde het uit en riep: 'Grote gek!'

'Grote gek! Wie? Ik?' hijgde ik. 'En wie probeert wie te vermoorden?' Ik kwam overeind en sloeg met mijn hoofd naar waar zijn kin was. Ik maakte contact met hem op de plek van mijn schedel die hij op het parkeerterrein van de New Moon zo beurs had gemaakt. Hij kreunde en ik liet hem los. We liepen beiden naar achteren. Ik zag kleurflitsen voor mijn ogen. Ik dacht niet dat we allebei nog de puf hadden door te knokken, maar iets belangrijks dreef ons beiden. Ik zag hem behoedzaam een stap naar voren nemen en maakte me gereed. Ik kon met geen mogelijkheid wegvluchten en als ik hem mijn rug toekeerde, was ik afgeschreven.

Het enige wat ik hoorde was onze schurende ademhaling in de duisternis. Toen hoorden we boven ons een stem.

'Wat is hier aan de hand, Hill?' schreeuwde de uitgedroogde bibliothecaris van de bovenwereld.

Het hoofd van mijn vijand draaide zich naar het geluid en werd toen door een lichtbundel gegrepen. Ik zag zijn gezicht scherp en wist dat ik het nooit zou vergeten. Ook wist ik dat ik hem nooit eerder had gezien. Hij draaide zich om en rende de duisternis in, waarbij het zwakke licht door het metalen rooster gereflecteerd en een patroon van lichtribbels op zijn rug toverde.

Ik klom omhoog naar de klagende stem van de bibliothecaris en kwam hem op de eerste verdieping tegen.

'Wat is hier in 's hemelsnaam aan de hand?' wilde hij weten.

'Iets is er aan de hand,' zei ik. 'Maar ik vind niet dat het met de hemel te maken heeft.'

'En waar is meneer Hill?' vroeg hij woedend.

'Ik heb er geen idee van. Hij heeft hier niets mee te maken. Ik ben door de duivel aangevallen en door St. Bartholomew gered.'

'Bent u soms dronken, dr. Chadwick?'

'Nee,' zei ik en zocht steun bij een zware, houten tafel. 'Maar ik heb daarbeneden wel een pistool verloren. Ik hoorde hem omlaag vallen.'

'Dragen professoren een pistool op zak?' wilde hij weten. Deze keer had hij de vraag niet tot mij, maar tot zichzelf gericht. 'Ik denk dat ik de politie bel.'

'En mijn pistool?'

'Het duurt een poos eer de benedenste verdiepingen zijn doorzocht,' antwoordde hij en liep terug naar zijn bureau. 'Morgen wordt de zaak trouwens schoongemaakt. En als daar een pistool is, krijgt u het wel terug.'

Ik kon hem niet van gedachten doen veranderen en keerde pistoolloos terug naar de middagzon. Het gezicht van de man die me op de tweede verdieping had aangevallen was veertig, mager en bang. Het lichaam dat erbij hoorde was lenig en capabel. Ik zou geen van beide vergeten.

Onderweg naar het huis van Lugosi probeerde ik de zaken op een rij te zetten, maar de puzzelstukjes pasten niet in elkaar. Mijn twee zaken liepen elkaar voor de voeten. En als ik straks mijn declaratie moest opmaken, stel dat ik zolang het leven zou houden, dan waren er nogal wat uitgaven die ik niet precies kon verantwoorden.

Zo wist ik niet bij welke zaak mijn vriend in de bibliotheek van St. Bart behoorde, hoewel hij eerder leek te passen in een Lugosi-film dan in een roman van Faulkner.

Toen ik bij het huis van Lugosi kwam, trof ik Jeremy Butler op het gazon aan. Hij was bezig de buurjongen uit te leggen hoe je iemand kon wurgen.

'De jongen had mij in de gaten,' zei Butler. 'Ik vertelde hem en zijn moeder dat ik voor Lugosi werkte als lijfwacht tegen de Japanners.'

'Hij kan goed worstelen,' zei de jongen en hij wierp een blik op Butler.

'Ik weet het,' zei ik.

Ik verzocht Jeremy het huis nog een paar uur in de gaten te houden en zei dat hij naar huis kon gaan als alles veilig leek. Hij zei dat hij dat zou doen en ik liep weg. Hoe zou Lugosi zijn buren uitleggen waarom hij een lijfwacht nodig had? De waarheid leek me het beste, maar aangezien ik daar zelf zelden toe kom, kon ik dat ook anderen niet aandoen.

Het was bijna zes uur toen ik op mijn kantoor arriveerde. Shelly was net bezig de zaak af te sluiten.

'Een boodschap,' zei hij. 'Op je telefoon. Ik ruim morgen de troep wel op.'

Voor Shelly was er altijd een morgen. Het kantoor werd om de drie, vier maanden schoongemaakt door Jeremy Butler, als die de rotzooi niet langer meer kon aanzien omdat het een broedplaats voor ongedierte was. Telkens als Jeremy het kantoor schoonmaakte, dreigde Shelly met zijn vertrek omdat zijn 'systeem' nu in de war was.

'Die vent met die tanden,' zei hij op weg naar de deur. Hij duwde zijn bril recht op zijn neus. 'Die is maf! Goede tanden, maar over een, twee jaar zijn ze weg. Ik zal ze vermoedelijk moeten trekken. De mens is niet geschapen voor vampiertanden. Als God had gewild dat de mens vampiertanden droeg, zou hij ons vampiertanden hebben gegeven. Dan had je ze niet in een zaak voor feestartikelen hoeven te kopen. Regent het buiten?'

'Nee,' zei ik en schudde de koffiepot. Er zat iets troebeligs in, maar hij was nog steeds warm. Ik zette het plaatje uit.

'Wat zei ik ook al weer?' vroeg Shelly.

'Vampiertanden,' zei ik.

'O, juist, vampiertanden,' zei hij hoofdschuddend. 'Als... maar wat heeft het voor zin om erover te praten? Ik zal mijn best doen. Hoe was het vandaag?'

'Het ging heel best,' zei ik. Hij had de deur geopend, maar draaide zich nu om alsof hij iets vergeten was. 'Ik heb bijna een vent neergeschoten. Ik werd een bibliotheek aangevallen en verloor daarbij mijn pistool.'

'Fijn,' zei Shelly. 'Tot morgen dan.'

'Tot morgen, Shel.'

Ik liep mijn kantoor binnen. Het telefoontje kwam van Bedelia Sue Frye. Ze vroeg me haar terug te bellen. Ik keek uit het raam. Het was bijna donker. Ik was niet van plan haar in de nacht op te bellen.

Toen belde ik Levy's op op Spina en vroeg naar Carmen. Ik had nog bijna zestig dollar over van mijn cliënten en een bezoek aan een nachtclub maakte deel uit van mijn onkosten. Ik nodigde Carmen uit, maar ze moest werken.

'Kan ik je dan na het werk oppikken?' vroeg ik.

'Ik moet tot twee uur vannacht werken,' zei ze. 'En na negen uur staan ben ik niet in de stemming om een spelletje met jou te spelen. Maar woensdag ben ik vrij.'

'Geweldig,' zei ik. 'Wat denk je van een bioscoopje?'

'Wat is er met de nachtclub gebeurd?' vroeg ze.

'We zullen wel zien,' zei ik. 'Ik moet nou gaan. Ik heb een belangrijke cliënt gekregen.'

Ik hing op, wierp een blik op mijn kantoor, vouwde Bedelia Sue Frye's boodschap op en probeerde weer het Augusta Hotel. Deze keer kreeg ik te horen dat Camile Shatzkins speelmakkertje zijn koffers had gepakt.

Met de zon onder en mijn .38 weg, reed ik voorzichtig naar huis. Ik deed daar mijn lege holster uit, nam een douche, schoor me en at samen met Gunther een blik hutspot van negenendertig cent. Ik vroeg Gunther of hij zin had in een nachtclub, maar hij zei dat hij te veel werk had. Bijna had ik nu mevrouw Plaut gevraagd.

Ik ving toevallig *A Man Called X* op de radio op. Herbert Marshall vertelde Leon Belasco waar die geheime stukken kon vinden. Herbert Marshall klonk altijd zo zelfverzekerd. Herbert Marshall had een heel team van schrijvers.

Vlak voor negen uur probeerde ik me zo goed en zo kwaad het ging netjes te kleden. Ik trok mijn stropdas voor noodgevallen aan en reed naar Glendale. Ik kende Glendale goed. Daar was ik opgegroeid, daar had ik gewerkt in de kruidenierszaak van mijn vader, daar was ik politieman geweest. Langs de boulevard waren enkele armoedige straten, maar Glendale bestond voor het merendeel uit gegoede middenstand.

De Red Herring was een nachtclub aan de rand van het centrum. De eigenaar noemde het een nachtclub, maar in werkelijkheid was het een middelgrote bar die nogal vaak van eigenaar was veranderd. Ik herinnerde me nog hoe ik als politieman eens een jonge dief had aangehouden die zich met een gebroken fles onder de bar schuilhield. Twee eigenaars geleden was er ene Steel die ik goed kende. Op een avond verdween hij en we hebben hem nooit meer teruggezien.

De Red Herring was het postadres van het enige lid van de Zwarte Ridders van Transsylvanië met wie ik nog niet gesproken had, Simon Derrida. Het was bepaald geen delirium van vrolijkheid toen ik de tent betrad. Ik zag een barkeeper, twee kerels aan de bar, een paartje aan een van de zes tafels en aan een andere tafel zaten vier mannen die er als zakenlieden uitzagen. Het paar leek me een hoertje met klant. Daarachter was een klein platform met een gordijn afgesloten en een piano waar niemand aan zat.

Ik liep naar de bar en vroeg naar Simon Derrida.

'Die komt over twee minuten op,' zei de barkeeper en hij raadpleegde zijn horloge. 'Wat wilt u gebruiken?'

Ik bestelde een Rainier, liep daarmee langs de als een vis ogende dronkelap aan de bar die keek of hij een gesprek wilde aanknopen, en zette me aan een leeg tafeltje neer.

De vrouw aan het aangrenzende tafeltje bekeek me om te zien of ik een betere klant kon zijn dan haar vent, maar ik schudde van nee. Ze had nogal wat rood haar dat niet op zijn plaats wilde en op haar grote mond zat een glimlach geverfd die meer verdriet dan plezier beloofde.

Ik had mijn biertje bijna op toen een vent met een rafelige smoking van achter het gordijn naar voren stapte en achter de piano ging zitten. Hij was ongeveer zeventig. Hij glimlachte tegen de vier zakenlieden, de vrouw en mij en begon te spelen en te zingen.

Hij speelde *Jealous* en gaf een Tony Martin-imitatie ten beste, gevolgd door *Chattanooga Choo-Choo* en wat flitsend geritsel met zijn pianovingers. Ik applaudisseerde, de zakenlieden applaudisseerden en de man aan de piano straalde.

'Dank u zeer, dames en heren. En zullen we nu allemaal zin-

gen *We'll throw the Japs back in the Laps of the Nazi's.*'
Hij begon te spelen en te zingen, maar niemand viel hem bij.
Niet ontmoedigd probeerde hij de regels te souffleren voor
hij ze speelde. Ik deed mijn mond een beetje open en dicht
en de dronken man aan de bar viel met vier zinnen wartaal
in. Als die ouwe knar nog een keer piano speelde, moest ik
naar de W.C., maar dat deed hij niet. Hij bedankte ons weer
en zei: 'En nu de man waar u allen op hebt gewacht, de man
die u zal laten sterven van de angst en van het lachen, onze
eigen Doctor Vampire, Simon Derrida.'
Hij speelde *Hall of the Mountain King* onder applaus van de
dronken man en de laatste Zwarte Ridder liep het podium
op, compleet met het kostuum dat hij die avond had gedragen. Hij kon weinig doen aan zijn Newyorks accent, maar
hij deed zijn best en het resultaat was een afschuwelijke
mengeling van Bela Lugosi en de Bronx.
'Goede avond,' zei hij. 'Het is fijn om weer nieuw bloed in
de club te zien. Ik zal u enkele verhalen vertellen waar uw
bloed van stolt. Vrienden, weten jullie wat erger is dan een
weerwolf die een spuit tegen hondsdolheid krijgt? Een vampier met een beugel.'
De dronken man boerde.
'En,' vervolgde Derrida met een zwierige zwaai met zijn cape (hij deed me eerder aan een uitgedroogde peer denken
dan aan een vampier), 'weten jullie waarom een vampier zo
katachtig loopt? Hij houdt van vleermuizen. Snel nu, wat
heeft een wiel en haalt veertig kilometer op een fles plasma?
Een vampier op een eenwieler. En nu, wat is het eerste gebouw dat Dracula bezoekt als hij naar New York gaat? The
Vampire State Building.'
Niemand lachte. Alleen de dronken man en ik luisterden
echt. Ik glimlachte bevroren en Derrida ging zich op mij
concentreren, waardoor ik nu gedwongen werd aandacht te
schenken en zogenaamd te lachen. Hij herkende me niet van
de Zwarte Ridders. Ik hoopte maar dat zijn nummer kort
zou duren of dat hij door gebrek aan reactie ontmoedigd zou
worden, maar hij ging maar door, de IJzeren Hein, en
vroeg: 'Wat eten vampiers voor het diner?' De dronken man

123

antwoordde: 'Vlees op spietsen,' maar Derrida negeerde hem en stelde nogmaals zijn vraag.

'Waarom houden jullie niet van graaf Dracula?' vroeg Derrida aan iemand die zogenaamd naast hem stond. 'Omdat hij je pijn in je nek doet.'

Ik doorstond het maar. 'Waarom dacht die man dat Dracula verkouden was? Omdat de vampier hem had verteld dat hij in een doodskist sliep. Wat krijg je als je een vampier met een brontosaurus kruist? Een monster dat slaapt in de grootste doodskist die je ooit gezien hebt.' Ik deed of ik een hoestaanval kreeg en snelde naar de toiletten, die klein, vuil en zonder toiletpapier waren, maar dat was niet zo erg als de enige fan te moeten zijn van de artiest Simon Derrida. Die last kon ik niet meer torsen.

Ik bleef in het toilet tot ik drie mensen hoorde klappen, wat alleen maar kon betekenen dat Derrida klaar was. Ik snelde naar buiten en dook achter het gordijn. 'Ogenblikje,' zei hij en stapte weer naar buiten voor nog meer applaus. De dronken man en de hoer klapten in hun handen en Derrida liep toen de 'coulissen' in die met moeite ons beiden kon bevatten.

'Geweldige show,' zei ik. 'Kan ik u iets te drinken aanbieden?'

Derrida glimlachte. 'Ik had de zaal in mijn hand, hè? Geen slecht publiek voor een doordeweekse dag.'

We gingen naar mijn tafeltje terug, waarbij we volslagen genegeerd werden, en de ouwe kerel aan de piano speelde *Always*.

'Graag een dubbele scotch,' schreeuwde Derrida naar de barkeeper.

'Voor mij nog een biertje,' voegde ik hieraan toe.

'Ik ken u ergens van,' zei Derrida en hij keek me aan.

'De Zwarte Ridders,' zei ik. 'Ik was daar met Lugosi.'

'Inspirerende man,' zei Derrida plechtig. 'Toen ik hem daar zag, kreeg ik een hele reeks ideeën. Mijn imitatie van hem is bijna volmaakt, vind u niet?'

'Het is griezelig,' zei ik.

'Zo,' zei hij. Hij ging zitten en gooide zijn cape over de stoel.

124

'U hebt me dus gevonden. Dat zat erin. Ach, in de showbusiness moet je daar op rekenen. Rampspoed, hartzeer. Je moet ermee leren leven, maar ik haal er genoeg materiaal uit.'

'Betekent dat,' zei ik toen de barkeeper de drankjes op de tafel zette en op zijn geld wachtte, 'dat u niet in de Zwarte Ridders gelooft.'

'Ik gebruik ze alleen voor materiaal. Jammer dat jullie die avond gekomen zijn. Ik had best nog meer materiaal eruit willen halen.'

Dat betekende dat elk van de Zwarte Ridders op Sam Billings na de zaak befleste. Een overbeet van vampiertanden en geen ware tanden.

'Ik ben hier niet zomaar,' zei ik. 'Ik wilde u spreken.'

En ik vertelde hem mijn verhaal.

'Dacht u dat ik mijn tanden in Lugosi had gezet?' vroeg hij. 'Snap je de mop?'

'Ik snap hem,' zei ik en dronk haastig bier. 'Ik heb dat inderdaad gedacht, maar ik geloof dat u niet meer op mijn lijstje staat.'

'Waarom?' vroeg hij. 'Ik kan prima iemand de stuipen op het lijf jagen. Het hoeft niet altijd zo lollig te zijn, maat.'

'Dat begrijp ik wel,' zei ik, 'maar jij bent een van de maten. Een beroeps. En een andere beroeps zou jij nooit de kist injagen.'

Dat hielp.

'Precies,' zei hij op ernstige toon en dronk zijn glas leeg. 'Ik zou je graag willen helpen, maar ik heb niks voor je. Zeg, waarom blijf je niet voor de tweede show? Daar zit nieuw materiaal in.'

'Ik denk het niet,' zei ik. 'Ik heb morgen een drukke dag. Tussen twee haakjes, ik was niet van plan jou aan Billings te verraden, hoor. Ik geloof dat hij jou meer nodig heeft dan jij hem.'

'Dat begrijp ik niet,' zei Derrida.

'Laat maar zitten,' zei ik en liep naar de deur. De dronken man zwaaide. De barkeeper las een boek. De roodharige praatte en de oude kerel aan de piano frutste aan de toetsen.

Het geluid van jankend rubber kwam van het parkeerterrein van de concurrerende taveerne aan de overkant. Ik besteedde er geen aandacht aan en bleef lopen tot het tot me doordrong dat de auto de straat was overgestoken en nu over het trottoir op mij afreed. Ik deed of ik naar de muur wilde gaan, maar dook naar de straat waarbij ik mijn knie voelde protesteren. De auto scheurde langs mij en een kogel sloeg vlak bij mijn gezicht op de straat te pletter. Er zaten twee figuren in de Ford. Ik kon de chauffeur niet zien, maar de vent in de passagiersstoel was de aanvaller van de bibliotheek.

Ik wilde zien of ze het nog een keer wilden proberen en jawel, daar hoorde ik de auto keren en zag ik de lichten. Mijn vrees was verdwenen en ik werd door woede vervuld. Iemand probeerde telkens mij te vermoorden en dat zouden ze volhouden tot het zou lukken, tenzij ik er iets aan deed. En dit leek me een prima moment. Ik rolde in de schaduw naast de wagen waar ik overheen gedoken was, en sloop naar mijn Buick terwijl de Ford langzaam en zoekend naar voren reed. Ik kroop naar het trottoir, opende de Buick zo stil mogelijk, ging zitten en startte de motor toen de Ford me gepasseerd was. Ik reed weg met brandend rubber en zette het grootlicht aan. Ik zag de twee figuren nu voor me. Ze hadden in de gaten dat ik achter hen zat. Dit was het ogenblik om goed gek te zijn. Ik gaf gas en ramde tegen de achterkant van de Ford die dwars schoof, waardoor de twee kerels tegen elkaar werden geslagen.

Mijn Buick kon verrekken. Het was nu toch al een afgeschreven wapen en ik was van plan het te gebruiken. De chauffeur van de Ford besloot op betere tijden te wachten en gaf gas, maar ik was niet van zins hem die betere tijd te geven. Dit was mijn nacht en ik wilde hem ten volle benutten.

Ik achtervolgde ze door Burbank de heuvels in. Geen enkele politieman hield ons aan en dat kwam me wel zo goed uit. We reden door Griffith Park en ver daarbuiten. We reden door rood en misten voetgangers. Het enige wat me tegen kon houden was een kogel en een lege tank.

Toen verloor ik ze. Ik vervloekte de auto, mijn broer, mijn stomheid en het lot. Ik wist niet eens waar we waren. Ik wist alleen dat het een slecht verlichte straat met kleine flatjes was. Langzaam reed ik door de straat, kijkend en luisterend. Niets. Ik hoorde de knalpijp van een auto of misschien een schot en reed om het blok. Toen zag ik de Ford onder een straatlantaarn. De deuren stonden open. Er was niemand te zien.

Ik reed tot langs de wagen en stapte uit. Ik liep echter niet naar de Ford, maar naar zijn achterbak, waar ik een kruissleutel pakte. De Ford was leeg, maar in het licht van de lantaarn kon ik bloed zien, een heleboel bloed, vooral aan de kant van de passagier. Van de Ford liep een spoor dat ik met de kruissleutel in de hand volgde. De maan stond vol en ik was weer bij mijn verstand en angst. Toch volgde ik het bloedspoor naar een appartement. Toen zag ik het opeens. Ik dacht eerst dat dit een van die ogenblikken was waarop je denkt ergens eerder te zijn geweest, maar ik was er inderdaad eerder geweest. Overdag. Hier had ik gepraat met een conciërge die Rouse heette.

Ik liep naar voren en drukte bij Rouse op de bel. Hij kwam met open overhemd en mond naar buiten en maakte de haldeur open.

'Ik heb nog geen twee minuten geleden gebeld,' zei hij. 'Hoe wist u dat…'

'Boven?' vroeg ik.

'Ja, iemand is boven.'

Toen zag hij het bloedspoor op de trap en de kruissleutel in mijn hand.

'Ik geef je die vijf dollar wel als ik beneden kom,' zei ik en liep langzaam de trap op.

'Houd die vijf maar,' zei Rouse. 'Ik bel de politie.'

Hij verdween in zijn flat en deed de deur achter zich op slot. Het bloedspoor voerde recht naar de deur van het appartement dat Camile Shatzkin onder de naam van mevrouw Offen had gehuurd. De deur stond open en het licht was uit. Ik ging langzaam naar binnen, trapte de deur achter me in het slot en bleef staan met de kruissleutel in de aanslag, maar niemand viel me aan. Er scheen voldoende licht van de straat naar binnen en ik kon het bloedspoor zien. Toch knipte ik het licht aan, mijn ijzer in de hand.

Het spoor voerde naar de slaapkamer. Ik trapte de deur open en daar was hij. De vent die me in de bibliotheek besprongen had en die me met zijn Ford had willen vermoorden. Hij lag op het bed en staarde naar mij, maar hij zag niets meer. In zijn borst stak een houten staak en zijn dode handen waren daaromheen geklemd in een laatste, futiele poging hem eruit te trekken.

8

Voordat de politie kwam, doorzocht ik de onplezierige zakken van de man op bed, die Thayer Newcomb bleek te zijn. Dat was twee down voor mevrouw Shatzkin en voor mij nogal verwarrend. De flat en Newcomb hadden met de Shatzkin-moord te maken, maar Newcomb had meer als een Zwarte Ridder van Transsylvanië gehandeld dan als een sluwe minnaar. De staak in zijn borst leek de vampierslijn door te trekken en het keurig getikte kaartje in zijn portefeuille, hoewel enigszins met bloed bevlekt, maakte de zaak er niet duidelijker op. Op het kaartje stonden precies de woorden van het dreigement dat Lugosi door de telefoon had ontvangen. Ik stopte de portefeuille compleet met vijftien dollar, terug, legde mijn kruissleutel op een plankje in de keuken en wachtte op de gillende sirene.

Die kwam na ongeveer een kwartier. Zware voetstappen klonken op de trap en een klop trof de deur.

'Politie,' zei een hoge stem.

'Kom binnen,' zei ik. Ik zat op de bank en beide handen waren goed zichtbaar.

Met getrokken pistolen stoven ze naar binnen, de blauwe petten over hun ogen, gereed om nog meer bloedsporen te maken als iemand iets verkeerds zei. Ik zei het juiste.

'In de slaapkamer,' zei ik.

Een van hen was jong, in de twintig, en hij zag eruit alsof hij op eigen kosten zich een uniform had laten aanmeten voor het lichaam dat hij vermoedelijk op de middelbare school had opgekweekt. Was ik maar jong en twintig, dacht ik, kijkend naar die bange, blauwe ogen. Diender Twee was tien jaar ouder, tien kilo zwaarder en in het bezit van een huid die eruitzag alsof iemand met hagel op hem geschoten had toen hij nog klein was. De oudere politieman liep naar de slaapkamer. De jonge was bereid me dood te schieten als ik op mijn neus krabde.

'Er ligt een dooie vent daarbinnen,' zei de diender met de slechte huid.

'Dat weet ik,' zei ik.
'Ik had het tegen mijn partner,' zei hij.
'Sorry.'
De partner rende de slaapkamer in en hield zijn holster met zijn vrije hand vast alsof hij wilde voorkomen dat die tegen zijn dij kletterde. Hij was even snel weer buiten.
'Hij is dood,' zei hij. 'Wat nu?'
'Bel de politie,' stelde ik voor.
'Doe niet zo lollig, man,' zei de oudere diender. 'Waar is de telefoon?'
'Hier niet,' zei ik. 'Beneden. De conciërge heeft er een.'
De jonge smeris stoof omlaag en de oudere hield zijn hand op zijn wapen.
'Wat is er gebeurd?' vroeg hij.
'Al sla je me dood,' zei ik.
Ruim een uur later keek ik naar de jongens van de technische recherche die probeerden uit te maken wat nu bewijsstukken waren en wat de troep was die door de politie was achtergelaten. Ik werd naar het bureau Wilshire gebracht. Ik had de politieman die me ondervraagd had, verteld dat de moord in verband stond met een zaak van rechercheur Cawelti. De diender belde Cawelti en was al te blij de hele zaak met rapport en al in diens schoot te kunnen gooien. Hij had zijn eigen grote probleem: een diefstal van autobanden, en dat was gezien het tekort aan rubber voor hem heel wat belangrijker dan een vermoorde acteur.
'Acteurs worden in deze stad al een halve eeuw vermoord of ze hebben gemoord,' zei hij filosofisch tegen me, kauwend op een stuk kauwgum.
Ik vertelde hem dat dat waar was, hoewel ik niet begreep wat dit met zijn gebrek aan interesse te maken had.
Toen ik op Wilshire het wachtverblijf binnenkwam, ging Cawelti staan. Hij had nog steeds zijn scheiding in het midden en het haar was glad gekamd. Er waren nog een paar dienders in het verblijf en ik dacht stemmen te horen uit het kamertje van mijn broer. Op een bureau stond een kartonnen doos met sandwiches. Zo te ruiken kwamen ze uit een delicatessenzaak.

Cawelti nam het rapport aan van de politieman. Die zei: 'Graag gedaan.'

'Wat wil je?' vroeg Cawelti. 'Een fooi?'

'Ik zal jou er eentje geven,' zei de diender die me had binnengeleid. 'Op een dag kom je mij nog tegen als je een gunst nodig hebt. Denk daar maar eens over na.'

'Jongens,' zei ik minzaam. 'Er is een moord gepleegd.'

De diender die me had binnengebracht, draaide zich vol afkeer om en liep naar buiten. Cawelti wierp een furieuze blik op mij. Ik glimlachte zo minzaam mogelijk terug en hij ging het rapport lezen. Daar had hij drie minuten voor nodig. Hij las het geen tweede keer, wat hij had moeten doen.

'Waarom heb je hem vermoord?' zei hij en keek me aan.

'Hij was al dood toen ik daar kwam,' zei ik. 'Ik was in gesprek met de conciërge en toen zagen we allebei dat bloedspoor. Ik heb het gevolgd. De informatie van de conciërge staat in het rapport.'

'Ik denk dat jij hem met die houten speer hebt gestoken en dat je hem toen achterna bent gegaan om er zeker van te zijn dat hij dood was,' probeerde hij.

'En toen heb ik op de politie gewacht?' vroeg ik.

'Waarom niet?' zei hij en leunde achterover met zijn handen achter zijn hoofd. Hij wilde dat ik kronkelde, maar ik had geen zin zijn spelletje mee te spelen.

'Kom nou,' zei ik. 'Ik was bezig met een zaak. Ik denk dat die vent iets te maken heeft met de moord op Shatzkin.'

'Die vent die door Faulkner is doodgeschoten,' zei hij.

'Mevrouw Shatzkin had die flat gehuurd waar het lijk is gevonden. Ze zegt dat hij haar vriendje was. Zet nou maar al je vuistjes op elkaar, maar het komt alleen maar uit op olleke bolleke knol.'

'Jouw natte droom, zul je bedoelen,' zei Cawelti. Hij leunde naar voren en tikte op het rapport.

'Waarom vraag je mevrouw Shatzkin niet over haar vriendje en ga je dat bij de conciërge na? Laat hem een foto van haar zien.'

'Heeft zij soms een speer in Newcomb gestoken?'

'Dat denk ik niet,' zei ik. 'Dat lijkt me eerder het werk van

het monster Haliburton dat haar hielen likt. Die is erg jaloers. Misschien is hij achter haar en Newcomb gekomen.'
'Ja ja, die mevrouw Shatzkin mag graag rotzooien,' zei Cawelti sarcastisch. 'Maar al heb je gelijk, hoe zit het dan met die verklaring van de stervende Shatzkin zelf dat Faulkner hem vermoord heeft?'
'Daar ben ik nog aan bezig,' zei ik. Ik keek naar de deur van mijn broer die zojuist was opengegaan. Hij liep naar buiten met Seidman. Cawelti kreeg hen in de gaten en ging zakelijk rechtop zitten, zoekend naar een potlood.
'En waarom ben jij die Newcomb naar die flat in Culver City gevolgd?' vroeg Cawelti op effen toon. Hij richtte zijn ogen maar niet zijn hoofd op de naderende Phil en Seidman.
'Ik had de conciërge vijf dollar beloofd als die me zou opbellen als hij iemand de flat in hoorde gaan,' zei ik. Phil en Seidman waren nu binnen gehoorsafstand. Cawelti ging tot de aanval over.
'Rouse belde jou op, liet een boodschap in je pension achter en twee minuten later was jij er al? En je woont in Heliotrope, helemaal in Hollywood. Een flinke spurt, moet ik zeggen.'
'Ik achtervolgde Newcomb. Die had geprobeerd me omver te rijden omdat ik naar zijn zin te dicht bij de waarheid was gekomen. Ik was bezig een onschuldige smeris te beschermen, een smeris die eigenlijk had moeten doen wat ik had gedaan, een smeris die zich eerder zorgen over Newcomb zou moeten maken dan hier zitten bewijzen wat het is om een eersteklas azijnpisser te zijn.'
Cawelti wilde opstaan en wierp een blik op Phil. Die verroerde zich niet en keek alleen maar woordeloos toe. Seidman keek op zijn horloge.
'Heb je een rapport?' vroeg Phil toen Cawelti zijn hand uitstak en mij bij mijn colbertje greep. Hij trok me uit de houten stoel die kletterend wegged door het wachtverblijf. Hij ramde de tafel met de broodjes die tegen de grond werd geknald. Daar voelden de broodjes zich ongetwijfeld eerder thuis.
Cawelti wachtte even, maar bleef mij in de ogen kijken en

mijn colbertje vasthouden.

'Laat hem los,' zei Seidman zacht.

Cawelti keek naar Phil die naar zijn bureau was gegaan om het rapport op te pakken.

'Doe maar wat je goeddunkt,' zei Phil. Hij keek naar het rapport en maakte zijn stropdas los die helemaal niet dichtgeknoopt was.

Wat Cawelti goeddunkte was een vuistslag naar mijn gezicht. Die schampte op mijn neus, wang en een hoek van een oog. Ik draaide me om en viel bijna, maar greep de rand van het bureau vast. Ik wist dat ik Cawelti bewust had gejend en dat ik hem nu zo hard ik kon zou raken, maar ik was al te laat. Phil was rond Cawelti's bureau gestoven als een squashbal en had hem nu bij zijn nek.

Cawelti's verbaasde gezicht werd rood en nog roder toen hij probeerde Phils vingers van zijn nek te trekken.

'Als je hem nog een keer aanraakt,' zei Phil door zijn tanden die onder de druk leken te bezwijken, 'dan zul je heel lang alleen maar jam kunnen eten. Begrepen?'

Cawelti wilde iets zeggen, maar dat stonden Phils handen om zijn nek niet toe. Hij werd van rood nu langzaam blauw.

'Phil,' zei Seidman zonder zich te bewegen, 'houd op.'

Vanuit de diepte reageerde iets in Phil. Met tegenzin liet hij Cawelti's nek uit zijn dikke vingers glippen. Door de scheiding in zijn haar zag ik dat Cawelti's schedel vuurrood was geworden. Hij wankelde naar een bureau.

Ik zei geen woord.

'Kom mee,' zei Phil over zijn schouder en liep naar buiten. Seidman bleef even treuzelen om te voorkomen dat ik niet snel even de bijna gestikte Cawelti nog een hengst zou verkopen.

'Ik geloof dat je een zere keel hebt,' zei Seidman tegen Cawelti. 'Ga maar naar huis, gorgel wat en kom morgenmiddag terug.'

Haat zou een zegen zijn geweest, vergeleken met de blik die Cawelti op me afvuurde toen hij rochelend naar zijn bureau liep, zijn nek in zijn handen. Ik strompelde snel naar Seidman en Phil die lopend het rapport van Newcomb las.

'Phil,' zei ik.

'Houd je kop,' zei hij toen we de trap afliepen. Ik vind het niet leuk wat ik heb gedaan en misschien doe ik het met jou en dat zou ik wel leuk vinden. Houd dus je kop.'

'Oproep,' zei Seidman. We liepen door de lobby en stapten over een omgevallen vuilnisemmer die bijna de doorgang belemmerde.

'Ruim die troep op, Swartz,' schreeuwde Phil naar de oude diender aan de balie.

'Ik heet Clayton,' antwoordde de oude. 'En het is niet tijdens mijn dienst gebeurd. Een of andere vent heeft geprobeerd er vandoor te gaan. Swartz had het moeten opruimen. Als ik…'

Phil bleef staan en keek Clayton aan die plotseling zweeg.

'Ik zal het meteen opruimen, hoofdinspecteur,' zei hij zacht en we liepen naar een wagen langs de stoep.

Toen we in de wagen zaten met Seidman aan het stuur en Phil naast mij op de achterbank, legde Phil het rapport neer en zei: 'Praten. Geen grapjes, geen leugens, geen vergissingen en dan krijg je ook geen dreun.'

Ik praatte terwijl we door het donkere ochtendlicht reden op weg naar ik wist niet waar. Ik vertelde hem de waarheid van begin tot eind, met inbegrip van het materiaal van Shatzkin en Lugosi.

'En wat denk je ervan?' vroeg Phil. 'Zie je een lijn?'

'Ik weet het niet,' zei ik. 'De twee zaken zijn niet verwant. Ik word er gek van.'

'Er is wel een connectie,' zei Seidman vanaf de voorbank. Ik zag zijn ingevallen gezicht in het spiegeltje.

'Ja,' zei ik. 'Ik. Ik ben de ontbrekende schakel.'

'En…?' vroeg Phil.

'Ik ben ermee bezig,' zei ik.

'Hoe is het met je knie?' vroeg Phil en wendde zijn hoofd af om uit het raam te kijken.

Dat was een slag die ik bijna niet verwerken kon. Ik kon nergens meer aan denken en liet vier decennia van leven met Phil de revue passeren. Drie ervan waren nooit als deze geweest.

'Ruth heeft het me verteld,' legde hij uit.
'Wat verteld?'
'Het geld,' zei hij.
Seidman deed of hij niets hoorde.
'Ik dacht dat je mijn hersens in elkaar zou slaan als je erachter kwam,' zei ik.
Phils handen lagen in zijn schoot. Ze wilden iets doen, maar zijn wil hield ze tegen.
'Ik vind het niet leuk,' zei hij, 'maar ik heb het nodig.'
'Waarom houd je dan je handen zo? Als ik zou vergeten wat je had gezegd, dan zou ik zeker denken dat je mijn hersens in elkaar wil slaan.'
'Om een andere reden,' zei hij. 'Je hebt Dave de stuipen op het lijf gejaagd. Je zou met hem *Dumbo* gaan zien, maar je bent naar de een of andere zombiefilm gegaan. Gisteravond had hij nachtmerries. Was jij vergeten dat hij vorig jaar bijna is omgekomen na dat auto-ongeluk? Hij is pas acht en hij moet leven met de gedachte dat hij bijna gestorven is.'
'Dat was verkeerd van mij,' zei ik rustig.
'Je zit er negenennegentig van de honderd keer naast sinds…'
'Sinds mijn achtste,' maakte ik de zin af. 'Waar gaan we naartoe?'
'Mevrouw Shatzkins vriend Haliburton heeft zojuist een ongeluk gekregen,' zei Seidman.
We spraken geen woord meer. Seidman reed en zette de politieradio aan om de pijnlijke stilte te breken. De radio snorde nummers en adressen naar ons, suste ons met rapporten van vandalisme en chaos, waardoor we aan iets anders dan aan onszelf konden denken.
We kwamen binnen tien minuten aan. Het was een hotel in de binnenstad in Main Street, enkele meters van een busremise. Een uithangbord informeerde ons dat er al kamers vanaf twee dollar te huur waren, compleet met bad.
Toen we de lobby instapten, liep de baliebediende op ons af. Hij had zijn mond open en wilde wat zeggen. Phil stak zijn hand op om hem tegen te houden en zei tegen Seidman: 'Zeg het hem.'

Een jonge diender met bleek gezicht, zweet op zijn boordje en een glanzend, nieuw politieschild, wachtte bij de lift. De lobby, die niet meer bevatte dan drie in elkaar gezakte stoelen en drie in de groei beknotte palmen, was leeg.

'De lift doet het niet, hoofdinspecteur,' zei de jonge smeris.

'Ik heet Rnzini. De misdaad is op de vierde gepleegd.'

'Ik denk dat ik het zonder hartaanval kan lopen,' antwoordde Phil.

'Dat bedoelde ik niet,' stamelde Rnzini, maar Phil stoof al met twee treden tegelijk de trap op terwijl hij verwoede pogingen deed om niet te hijgen. Ik liep achter Rnzini aan en probeerde niet de zure stank van het gebouw te ruiken.

'Het is idioot,' fluisterde Rnzini me vertrouwelijk in het oor, maar wel zo hard dat Phil hem kon verstaan. 'Het lijkt of die vent met een schot hagel is neergeschoten, maar hij was alleen in een afgesloten kamer, het raam was op slot en zag eruit alsof het in geen jaren geopend was. Ik begrijp er niks van.'

Phil bleef plotseling op de trap staan en Rnzini moest zich tegen de muur werpen om niet op mijn broer te botsen die er als een nijdige koelkast uitzag. Phil moest stoppen om op adem te komen, maar hij maskeerde deze reden om tegen de diender uit te varen.

'Misschien heb jij het wel gedaan,' zei hij. 'Om de politie voor paal te zetten. Misschien verveel je je wel. Misschien ben je gek geworden omdat je misdaad hebt gezien.'

Rnzini wilde glimlachen, maar hield daarmee op, want Phil glimlachte niet.

'Ik ben katholiek, hoofdinspecteur,' zei hij serieus.

'Natuurlijk,' antwoordde Phil en hij liep weer naar boven. Rnzini bleef nu verder achter hem.

Op de vierde bevond zich een kleine menigte. Een slaperige agent stond naast een deur die uit zijn hengsels was gerukt. De agent werd wakker.

'Heb je met al deze mensen gesproken?' vroeg Phil over zijn schouder.

'Met iedereen die toegeeft iets gehoord te hebben,' zei Rnzini die zich nu bij ons had gevoegd.

Phil perste zich langs twee Mexicaanse jongens. Een van hen trok een boos gezicht en Phil keek hem aan.

'Wil je iets zeggen, Chico?' vroeg hij.

De twee jongens deinsden terug.

In het kleine kamertje gekomen keek Phil om zich heen, maar er bestond geen twijfel aan waar we naartoe getrokken werden. Het lijk op het bed.

'Is dat Haliburton?' vroeg hij.

Ik liep naar het lichaam. Slachtoffers van een jachtgeweer zien er doorgaans niet vreedzaam uit en, afhankelijk van de afstand van het jachtgeweer, zien ze er soms helemaal nergens naar uit. Maar Haliburton had nog zijn gezicht. Ook hield hij een .45 in zijn rechterhand gekneld.

'Dat is hem,' zei ik.

'Notitieboekje,' snauwde Phil tegen Rnzini en hij trok het uit de hand van de zwetende jonge diender voordat die het kon geven. Phil liep naar de douche en las de aantekeningen door. Rnzini stond naast me en deed zijn best om niet te ademen en te denken. Enkele ogenblikken later kwam brigadier Seidman de kamer in en keek om zich heen. Er was geen verandering in zijn gelaatsuitdrukking toen hij Haliburtons grote lichaam op het bed zag liggen.

Ik had Haliburton het advies gegeven zijn boeltje te pakken en er vandoor te gaan. Zo te zien had hij mijn advies opgevolgd, maar hij had dat niet snel of ver genoeg gedaan. Seidman liep de douchecel in en Phil kwam overeind van de W.C. waar hij op gezeten had en gaf Seidman het boekje. Ik volgde Seidman en zag Phil zijn stropdas afdoen en in zijn zak steken, waarna hij op het bed ging zitten, maar wel zo ver van de dode dat hij niet onder het bloed kwam.

'Hij had dat pistool in zijn hand en de deur op slot omdat hij bang was bezoek te krijgen van iemand die hem niet welgezind was,' zei Phil. 'Vind je dat logisch, Rnzini?'

Ik las de aantekeningen over Seidmans schouder mee. Ze waren in een keurig, duidelijk leesbaar handschrift. Na de inleidende zinnen over tijd en oproep, bestond het voor het grootste deel uit de verklaring van een getuige, ene Richard A. Mann. In de verklaring stond het volgende:

Mijn naam is Richard A. Mann. Ik woon op 1488 Saga-more Drive in Cleveland in Ohio. Ik ben handelsreiziger in sieraden. Doorgaans verblijf ik in het goedkoopste ho-tel dat ik kan vinden. Je weet wel, voor de declaratie, maar de laatste tijd heb ik niet veel verkocht. En ik ben de enige niet. Niemand is zeker wat er met die oorlog gebeu-ren gaat. Ze willen gewoon niet meer kopen. Om eerlijk te zijn, als ik geweten had hoe beroerd dit hotel was, zou ik het nooit gekozen hebben.

Het was ongeveer één uur in de nacht, misschien een uur geleden. Ik kon niet slapen. Las het nieuws en *Li'l Abner*. Ging eruit, zeepte me in om me te scheren, gooide een handdoek over mijn nek. Die tent hier is uit balsahout ge-maakt. De vent boven me had al die tijd lopen ijsberen. En veel ruimte had hij niet in dat kamertje met die douche. Ik kon precies horen waar die vent was en ik weet zeker dat die vent boven wist waar ik was. Ik stond dus naast mijn bed en vroeg me af of ik nog een paar uur naar dat gescheurde behang zou kijken of na het scheren naar de radio luisteren, toen ik de schoten hoorde. Hard, heel hard. En ik wist precies waar ze vandaan kwamen. Een schot en een echo. Even dacht ik dat de boiler ontploft was. Dat gebeurt trouwens toch vroeg of laat. De radiator rammelt de hele nacht door. Vermoedelijk in geen jaren nagekeken. Nou, daar stond ik dan, klaar voor het sche-ren, een paar seconden stond ik daar. Ik legde alles neer en liep de overloop op. Mijn gezicht was nog steeds met scheercrème bedekt en ik had die handdoek nog over mijn schouder, weet je wel.

De Belvédère heeft niet veel nieuwsgierige gasten. In zo'n tent, en ik heb er nogal wat meegemaakt, hebben de mensen hun eigen problemen en hebben ze geen zin zich met die van anderen te bemoeien. Maar toch waren er een paar mensen in de hal. Een oude kerel met witte bakke-baarden zag eruit als een bang vogeltje. Hij had een hemd aan met daarin een groot gat. Zijn mond was open of hij iets zeggen wilde, maar er kwam niets uit.

'Schoten boven,' zei ik en liep de trap op. Ik had me misschien met mijn eigen zaken moeten bemoeien, maar ik dacht er niet bij na. Die ijsberende vent had misschien zichzelf voor de kop geschoten of iemand anders. Die schoten waren verdomd dichtbij geweest.

De treden zakten door toen ik naar boven liep. Je ziet dat ik geen klein ventje ben, maar hoteltrappen moeten toch meer kunnen dragen dan mij. Die hele rotzooi flikkert op een goeie dag nog eens in elkaar. Toen ik op de vierde kwam stonden er drie, misschien vier mensen op de overloop. Een vrouw leek me… nou agent, je kent die buurt hier beter dan ik. De meeste deuren waren dicht en rustig alsof ze daarbinnen niets hadden gehoord.

'Daar binnen,' zei ik en wees naar de deur van de kamer boven de mijne. Ik moet er als idioot hebben uitgezien. Ze deinsden naar achteren en ik klopte aan. Geen antwoord. De deur was op slot. Ik vertelde iedereen op de overloop dat ze achteruit moesten gaan en ik ging met mijn schouder tegen de deur. Die knalde open. Ik geloof dat mijn tienjarig dochtertje het ook had kunnen doen. Toen zag ik hem. Hij lag op bed, ondergestopt. Ik zal het nooit vergeten. Ik liep terug naar de overloop voordat de anderen hem konden zien. Het speet me dat ik het gezien had. Ik vertelde de eerste de beste, een mager ventje van ik meen zestig, dat hij de politie moest bellen. Toen liep ik weer de kamer in om te zien of hij nog leefde. Maar je zult wel aannemen dat ik niet echt goed wilde kijken en hij kon trouwens niet levend zijn, maar je weet het nooit. Hoe dan ook, hij was dood. Ik gilde naar de mensen op de overloop dat ze niet naar binnen moesten komen en niets aanraken en ik heb hier op jou gewacht. En als het nu mag, agent, ik voel me misselijk, ik wil nu graag naar mijn kamer om me op te frissen. Als je me nodig hebt, ik ben in de kamer hieronder.

Het was de volledigste verklaring die ik ooit gelezen had. Het moest Rnzini's eerste moord zijn geweest en hij had niets weg willen laten. Als hij wat langer bij de politie was, zouden die rapporten steeds slordiger worden tot een punt

waarop ze weer beter zouden worden of helemaal tinnef.
'Weet jij, Rnzini, wie die vent vermoord heeft?' vroeg Phil en keek de jonge diender strak aan.
'Nee,' antwoordde Rnzini. Het leek of hij zou gaan giechelen, maar hij beheerste zich.
'Dat had je nu langzamerhand wel moeten weten,' zuchtte Phil.
'Hij heeft gelijk, weet je,' zei Seidman, die weer in de kamer was en nu het boekje aan Rnzini teruggaf.
'Het staat in je boekje, jongen,' zei ik.
Rnzini keek naar zijn notitieboekje en vroeg zich af of iemand er misschien iets in geschreven had dat hij niet had gelezen.
Zonder naar het lijk te kijken gromde Phil als een verontruste vader: 'Kijk eens naar onze vriend Haliburton op het bed. Vol korrels, in een strak patroon, afkomstig van een jachtgeweer, niet niks, gaatjes dwars door zijn voeten en vandaar omhoog. Vind je dat vreemd, Rnzini?'
'Hij is neergeschoten toen hij op bed lag?' probeerde Rnzini.
'Geen gaatjes in het bed bij zijn voeten. Een heleboel bloed, geen gaatjes. Bloed op de vloer,' zei Seidman. Hij keek naar de vloer.
'Iemand heeft hem verplaatst, Rnzini,' zei Phil met zijn ogen naar de muur. 'Brengt dat jou op een gedachte?'
'Ik heb het niet gedaan,' zei Rnzini afwerend.
'Nou, dat maakt het lijstje van verdachten kleiner,' zei Phil. 'Nog iets?'
'Hier is een kerel, alleen in een kamer,' pakte Seidman het gesprek op. 'Hij heeft een pistool en hij is bang dat iemand hem achterna zit. Stel dat jij hem achterna zat en hem hier aantrof, wat zou je dan doen?'
Rnzini probeerde na te denken, maar er kwam niets uit, hooguit een blik die aangaf dat het beroep van politieman misschien niet zo'n goede keuze was geweest.
'Rnzini,' onderbrak Phil hem.
'Ik weet het niet, hoofdinspecteur.'
'We hebben hier een achenebbisj-hotel,' zei Phil en keek

naar het ronde oosterse kleedje op de vloer dat allang zijn motieven was verloren. 'Dan kun je de kamer ernaast reserveren of anders de kamer boven en onder die van die vent die je hebben moet. Dan kun je een jachtgeweer meenemen, een flinke, zware jongen. Je luistert naar je goeie, ouwe vriend Haliburton die enkele minuten ijsbeert. Je bepaalt waar hij staat en schiet dan een lading door de muur of door de vloer of door het plafond. Erg precies hoef je niet te mikken. Zie jij gaten in de muren of in het plafond, Rnzini?' Rnzini keek. Maar er was niets te zien.

'Ik wed vijf tegen tien dat je gaten in de vloer zult vinden als je dat Chinese tapijtje wegtrekt,' zei Phil.

'Meneer Mann van beneden?' zei Rnzini.

Phil schonk hem een zure knipoog. Rnzini ging op zijn knieën en trok het kleedje weg. De gaatjes in de vloer vormden een bijna symmetrisch patroon. De kamer daaronder was donker.

'Meneer Mann,' zei ik, 'deed scheercrème op zijn gezicht, wierp een handdoek over zijn schouder, ging op een stoel staan en joeg toen die stoot hagel door Haliburton, die de verrassing van zijn leven moet hebben gekregen.'

'Hij zette het jachtgeweer neer,' nam Seidman de uitleg over, 'rende de hal in en begon te gillen over schoten van boven voordat iemand een kans had te denken of te zeggen dat dat schot uit zijn kamer was gekomen, rende de trap op, liep naar Haliburtons deur, ramde die en vertelde iedereen dat ze weg moesten blijven en de politie roepen. Hij wilde er zeker van zijn dat Haliburton dood was en bovendien tijd winnen. Hij legde het lichaam op bed, trok dat kleedje over de gaten en wachtte toen op jou. Toen vertelde hij jou zijn verhaal.'

'Maar waarom die scheercrème?' vroeg Rnzini.

'Om zijn gezicht te verbergen,' zei ik. 'Op die manier kon hij je vlak in je gezicht aankijken alsof hij een masker droeg. Hij heeft die handdoek vermoedelijk gebruikt om het lichaam te verplaatsen en zo te voorkomen dat er bloed op hem kwam. Toen liep hij naar die douchecel en pakte een andere, schone handdoek. Die bloederige ligt vermoedelijk

onder het lichaam of het bed. Hij vertelde jou wat hij kwijt wilde, liep naar zijn kamer, greep zijn ingepakte koffer, zo hij er een had, en liep de deur uit.'
Een van de twee veertig-wattlampjes in het plafond gaf flakkerend de geest. Phil wees omlaag.
'We kunnen nu omlaag gaan waar we een lege kamer en geen vingerafdrukken aan zullen treffen,' zei hij. 'En dan kunnen we met het routineonderzoek beginnen.'
'Ik heb niet…' zei Rnzini.
'Jij hebt weinig vragen gesteld,' zei Phil vermoeid. 'Je was niet wantrouwig genoeg. Je zette niet iedereen zo neer dat je ze in de gaten kon houden. Je hebt een misdaad en een getuige, dan zet je hem ergens neer waar je hem in de gaten kunt houden en dan wacht je op iemand die weet wat hij moet doen. En dat kan voor mijn part je moeder of de priester zijn.'
Rnzini had niets meer te zeggen. Phil kwam langzaam van het bed af en liep de overloop op. Ik bleef lang genoeg dralen om Rnzini een blik van medeleven te geven.
'Mijn broer en mijn ouwe heer hebben een stomerij in Pasadena,' zei hij. 'Misschien dat ik bij hen intrek.'
'Je rapport was goed, echt goed,' zei ik.
'En wat is er trouwens met hem aan de hand?' vroeg Rnzini en hij knikte naar de plek waar mijn broeder had gestaan.
'Hij is politieman,' zei ik. 'Als je het een jaartje of tien uithoudt, dan word je misschien net zo'n goede politieman als hij en een even ongelukkig mens. Dat hoort bij je schildje.'
Toen ik Phil en Seidman had ingehaald, waren ze al in de lobby bezig met een verhoor van de receptionist, die er verbazingwekkend on-goor uitzag voor de Belvédère. Zijn pak was gekreukeld, maar evenzogoed een pak dat er zeker beter dan het mijne uitzag. Hij had een keurige stropdas om, maar hij verraadde zich door een stoppelkin. Hij had een bleek gelaat en was ergens tussen de vijfentwintig en veertig. Hij had een paar donkere haren over die hij keurig had gekamd en van brillantine voorzien om zichzelf en niemand anders de illusie te geven dat daar ook iets groeide.
'Kwam Haliburton om één uur vannacht binnen?' vroeg

Seidman en hij raadpleegde zijn boekje. Het was bijna dag.
'Ja,' zei de receptionist.
'En meneer Mann in 303?' vroeg Seidman. Phil stond met gekruiste armen nijdig toe te kijken. De receptionist kon zijn ogen niet van hem afhouden.
'Mag ik even kijken?' vroeg hij. Hij vond een bril en controleerde het register. 'Die kwam een paar minuten later binnen. Zei dat hij een collega van meneer Haliburton was en een kamer vlak bij hem wilde hebben. Ik gaf hem 303 vlak daaronder dat me niet...'
'Hoe zag hij eruit?' onderbrak Seidman hem.
'Meneer Haliburton?' vroeg de receptionist.
'Mann.'
'Bril, donkere snor, hoed voorover in zijn ogen, een tamelijk grote man, maar niet zo groot als meneer Haliburton,' zei de receptionist.
'Denkt u dat u meneer Mann zou kunnen identificeren zonder hoed, bril en snor?' vroeg Seidman.
'Zonder... ik zou het niet weten. Ik heb niet echt goed naar hem gekeken. We hadden het toen erg druk.'
'Bedankt,' zei Seidman en klapte zijn boekje dicht.
'Onze moordenaar heeft flair,' zei ik toen we naar de wagen liepen. 'Een houten speer door een maag en een schot hagel door een vloer.'
'Als dat het werk van een en dezelfde vent is geweest,' zei Phil.
'Het is mogelijk,' zei ik en stapte in.
'Maar jij dacht ook dat Billy Conn Joe Louis zou pakken,' bracht Phil me in herinnering. 'Ik denk dat we eens met mevrouw Shatzkin moeten praten.'
Seidman knikte. De zon was nu echt naar buiten gekomen en het was dinsdag. Op weg naar Bel Air stopten we bij een kraam met koffie en hamburgers. De verkoper had geen cornflakes. Ik keek naar zijn krant en las een kop dat de Verenigde Staten een Japans oorlogsschip tot zinken hadden gebracht en bovendien ernstige schade hadden toegebracht aan een slagschip vanaf een geheime basis bij Manilla.
Het was bijna zeven uur toen we voor de voordeur van het

huis van Shatzkin stonden. Phil klopte aan in plaats van op de bel te drukken en het Mexicaanse dienstmeisje deed open. Ze droeg een peignoir en geeuwde.

'Mevrouw Shatzkin slaapt nog,' fluisterde ze.

'Maak haar wakker,' zei Phil.

'Maar…'

'Niks te maren,' brulde Phil. '*Tiene prisa*. Schiet op.'

Het bange meisje gehoorzaamde. We hoorden haar de trap opgaan toen we naar binnen liepen. Phil liep voorop en vond de woonkamer. Hij keek vol afkeer naar het meubilair. Kennelijk vergeleek hij deze optrek met zijn huisje in North Hollywood en genoot hij niet van de vergelijking en het gebrek aan slaap.

Camile Shatzkin kwam vijf minuten later naar binnen. Ze had zich de tijd gegund wat make-up aan te brengen en een blauwe robe aan te trekken met een diepe insnijding bij de hals die ons kon afleiden van de arbeid.

'Wat moet dit betekenen?' vroeg ze.

'Wij houden de stand bij,' zei ik.

Phil vertelde me dat ik mijn kop moest houden.

'Volgens meneer Peters hebt u gisteren bekend een intieme vriend van Thayer Newcomb te zijn,' zei Phil. 'Klopt dat?'

'Jawel,' zei ze met een lichte blos en een trillende hand. 'Ik ken Thayer al…'

'En u hebt een flat in Culver City gehuurd waar u hem heimelijk kon ontmoeten?' vervolgde Phil.

Mevrouw Shatzkin beet op haar lip.

'Ik zie niet in wat dit met de moord op mijn echtgenoot te maken heeft,' zei ze. 'Als u per se hierover wilt praten, dan sta ik er van mijn kant per se op dat we wachten tot mijn advocaat erbij is.'

'Newcomb is dood,' zei ik.

Phil schonk me een blik die me suizend op mijn hielen tegen een muur had moeten kwakken.

'Is Thayer dood?' vroeg ze en haar rechterhand ging naar haar keel. 'Verschrikkelijk. Hoe?'

'Iemand heeft een houten staak door zijn borst gestoken,' zei ik.

Phil stapte met gebalde vuist op me af. Ik probeerde tegelijk hem en Camile Shatzkin in de gaten te houden. Ik interpreteerde haar blik als vrees en shock, maar ik miste verdriet om een verloren minnaar. Snikkend en met trillende knieën liet ze zich op de eerste de beste stoel vallen.

'Wanneer hebt u meneer Newcomb voor het laatst gezien, mevrouw Shatzkin?' vroeg Seidman om Phils aandacht van mij af te leiden.

'Dat weet ik niet,' zei ze beverig. 'Een week geleden, misschien twee weken. Ik weet het niet. We hadden besloten… elkaar niet meer te zien. Ik had er spijt van. En toen stierf Jacques.'

Ik bespeurde nog steeds geen verdriet. Phil en Seidman evenmin.

'Weet u waar meneer Haliburton nu is?' vroeg Seidman.

Ze keek op met een blik die op verbazing leek.

'Waarom? Ik bedoel, hij heeft gisteren opgezegd. Hij was Jacques zo toegewijd, hij was bijna een zoon voor hem. En hij kon het niet meer verdragen hier te zijn. Dat heb ik tenminste begrepen.'

Zo er enige toewijding in Haliburton had gescholen, was die op mevrouw Shatzkin gericht. En als diens blik moederlijke liefde had omvat, dan had Oedipus extra plaats moeten maken op het bed.

'Haliburton is dood,' zei ik en stapte achteruit.

Seidman stapte tussen Phil en mij in en zei zachtjes: 'Phil, Phil, niet hier.'

'Hij is dood?' vroeg mevrouw Shatzkin met opengesperde ogen.

'Jazeker,' zei ik. 'Raar hoe de mannen in jouw omgeving dood neervallen. Ik heb er nu al drie geteld en zoals ik het zie, moet er nog eentje komen. Kun je me soms een naam geven, Camile?'

Camile kreeg bijna een aanval.

'Maria,' riep ze hoestend. 'Maria.'

Het meisje stoof binnen.

'Bel dr. Cartley. Zeg dat hij meteen komt, ik ga nu naar mijn kamer.'

Zonder afscheid ging ze weg.

'Voor die voorstelling krijgt ze van mij anderhalve ster,' zei ik. 'Ze was helemaal niet overstuur van Newcombs dood en ik vermoed dat ze heeft geweten dat Haliburton afgevoerd zou worden.'

Ik wachtte op Phils vuist en deed een stap naar achteren toen ik hem vanuit een ooghoek zag aankomen. Hij miste me op centimeters en ik stapte achter de bank.

'Klootzak,' zei hij. 'Ik heb je toch verteld dat je je bek moest houden. Ik wil die zaak rustig aanpakken.'

'Ik heb een cliënt in de cel,' zei ik. Seidman hield Phil bij de arm vast, maar als Phil door zou breken, zou hij zeker niet tussen ons in gaan staan.

'Zij heeft ermee te maken,' zei ik.

'Waarmee?' vroeg Phil. 'Met de moord op Shatzkin? Newcomb? Haliburton? En houdt ze zich bij wijze van schnabbel met Bela Lugosi bezig? Het lijkt op een goedkope film.'

'Dat lijkt het inderdaad,' zei ik en kreeg een glimp van een idee. Ik wist dat die glimp groter zou worden en me dwars zou zitten, tenzij ik er iets aan deed.

Ik zat zo ver mogelijk van Phil af op de achterbank toen we terugreden. Ik zei geen woord. We parkeerden voor het bureau Wilshire en stapten uit.

'Moet ik mee naar boven?' vroeg ik.

'Ik geloof dat we je liever weg hebben, Toby,' zei Seidman.

'Mijn auto staat in Culver City,' zei ik.

'Neem de tram,' zei Phil.

'En wat doen jullie aan Lugosi?' vroeg ik toen de twee rechercheurs de trappen opliepen.

'We sturen wel een mannetje langs,' zei Seidman en hij verdween achter de vuile glazen deur die de zonnestralen opving en liet dansen in mijn geest.

Ik nam de tram, kocht een krant en viel prompt in slaap. Aan het einde van de lijn maakte de conducteur me wakker en ik reed vechtend tegen de slaap terug. Ik had gemakkelijk de Vliegende Hollander van het openbaar vervoer van Los Angeles kunnen worden. Het kostte me bijna een uur eer ik bij mijn wagen was.

En aangezien ik er nu toch was, liep ik even bij Rouse, de conciërge, aan.

Toe hij me in de hal zag, zei hij: 'Nee,' en sloot de deur.

'Ik heb mijn kruissleutel boven laten liggen,' gilde ik.

Geen antwoord.

'Ik ben u vijf ballen schuldig,' gilde ik. De deur ging weer open.

'Geef het dan en donder op,' zei hij kauwend als voorheen. Ik vroeg me af of het iets met eten te maken had of dat het een zenuwtrekje was.

'Nog een laatste vraag,' zei ik. 'Voor vijf erbij.' Rouse keek naar de trap.

'Het heeft me uren gekost om dat bloed op te ruimen,' zei hij. 'Ik heb geen oog dicht gedaan. Mijn vrouw wil verhuizen. Waar krijg ik een andere baan?'

'Dat spijt me,' zei ik. 'Hebt u het lijk gezien voor het naar buiten werd gedragen?'

'Ja,' zei hij en liep naar de trap.

'En hebt u hem herkend?'

Rouse haalde zijn schouders op.

'Ik heb de politie verteld dat er misschien, ik zeg misschien, een andere vent boven is geweest. Een grotere vent, niet overdreven groot, maar flink gebouwd. Dat kon ik door het plafond horen. Ik heb hem nooit gezien. Ik dacht dat hij meneer Offen was.'

Ik gaf hem de vijf en bedankte hem.

'De politie heeft gezegd dat we nergens aan mogen komen,' zei hij. 'Ik pak die kruissleutel wel zodra ik mag.'

Hij liep naar binnen. Ik had mijn pistool in de bibliotheek verloren en mijn kruissleutel in een flat. Ik voelde in mijn zak of mijn portefeuille er nog in zat. Dat was het geval. Langzaam reed ik naar huis om niet nog meer Los Angelianen te vermoorden en ik arriveerde daar tegen negen uur. Ik trok mezelf de trap op, pakte wat klein geld en begon te bellen. Eerst belde ik Shelly om hem te vragen of hij Jeremy Butler wilde zeggen dat die niet meer het huis van Bela Lugosi in de gaten hoefde te houden. Shelly zei dat er nog twee boodschappen van Bedelia Sue Frye waren geweest. Toen belde ik Lugosi's huis met de boodschap dat Butler naar huis mocht gaan als hij kwam opdagen. Het volgende telefoontje betrof mijn broer, maar ik kreeg Seidman aan de lijn.

'Phil is al enkele uren naar huis,' zei hij. 'En ik sta op het punt te vertrekken. Wat is er aan de hand?'

'Een ideetje,' zei ik. 'Laat de lijkschouwer naar een kogel zoeken als hij Newcomb doet.'

'Er was geen kogelgat in zijn lichaam,' zei Seidman. 'Alleen die houten staak.'

'En als er wel een kogelwond was geweest,' zei ik vechtend tegen een geeuw, 'maar als iemand dat verborgen had willen houden dan…'

'Zou hij die staak erin gestoken kunnen hebben om de schotwond te maskeren,' zei Seidman. 'Maar waarom verdomme?'

'Om te laten voorkomen dat een vampier ermee te maken had,' legde ik uit. 'Om Newcomb met die zaak-Lugosi te verbinden. Newcomb dook op de gekste ogenblikken op en joeg me de stuipen op het lijf. Hij werkte samen met iemand om te voorkomen dat ik me intensief met de moord op Shatzkin bezighield. Ik moest me volledig op Lugosi concentreren. Vergeet niet dat ik vermoedelijk de schakel tussen die twee zaken ben.'

'Ik zal de lijkschouwer erop wijzen,' zei Seidman. 'Nog iets?'

Ik had niets meer. Ik hing op, kroop naar mijn kamer en deed de gordijnen dicht. Ik legde mijn kleren op de stoel naast mijn tafel en rolde op het matras. Ik was al weg voor een vampier 'boe' kon zeggen.

Ik droomde van bloed en rozen, scheerzeep en duistere souterrains. En in die caleidoscoop van beelden zag ik mezelf weer als jongetje in Glendale in de winkel die mijn oude heer had gehad. Ik vond het verschrikkelijk als ik naar beneden moest om dozen te pakken. Het souterrain van de winkel was donker en bevatte houten planken waar een nachtmerrie zich tussen verstoppen kon. Een oude neger die Maury heette had daar af en toe geslapen. Maury hielp wel eens in de winkel en ook in andere zaken in de buurt. Hij

stierf toen ik zeven was en ik wilde zijn geest niet in dat souterrain tegenkomen. In mijn droom ging ik omlaag en keek
om me heen. Ik was niet alleen. De kamer was nog precies
als vroeger. Ik zag de vloer verlicht door een onbekende
bron en zag mijn eigen voetstappen in het stof. In het schijn-
sel tegenover me stonden drie vrouwen. Zelfs in mijn
droom dacht ik dat ik droomde, omdat het licht van achteren
kwam en geen schaduw wierp. Twee van de vrouwen waren
donker. Een van hen was Bedelia Sue Frye in haar vampierkostuum en de ander was Camile Shatzkin in haar zwarte
weduwegewaad. Hun ogen waren donker en leken wel rood.
De derde vrouw was een blondine met lang, golvend gouden
haar en ogen als bleke saffieren. Op de een of andere manier
herkende ik haar gezicht, maar ik wist niet meer waarvan.
Alle drie hadden ze schitterende tanden die als parels sche-
nen tegen het rood van hun zachte lippen. Er was iets aan
hen dat me onrustig maakte. Een hunkering, gemengd met
vrees. Ik voelde in mijn borst de hoop opwellen dat ze me
met die rode lippen zouden kussen. Ze fluisterden lachend
tegen elkaar en het klonk als het getinkel van waterglazen.
Het blonde meisje schudde haar hoofd en de twee anderen
moedigden haar aan. Camile zei: 'Ga maar. Jij eerst en dan
wij.'
Bedelia zei: 'Hij is sterk. Er zijn genoeg kussen voor ons allemaal.'
Het blonde meisje kwam naar voren en ik kon me niet bewegen, ik kon niet eens om mijn vader of mijn broer roepen.
Ze boog zich over me tot ik haar adem kon voelen, honing-
zoet en tegelijk bitter. Toen rook ik bloed en herkende ik
haar. Het was Bedelia Sue Frye zoals ik haar vroeg op de
avond had gezien. Zij was met twee mensen in een en dezelfde kamer met mij en ik was bang.
Ze boog haar nek en likte haar lippen als een dier.
Ik zag het vocht op haar lippen glanzen en op de rode tong
die de scherpe, witte tanden beroerde. Lager en lager ging
haar hoofd terwijl haar lippen onder mijn mond en kin bezig
waren en zich op mijn keel concentreerden. Toen hield ze
even op en ik hoorde een karnend geluid van haar tong toen

die haar tanden en lippen likte. De huid van mijn keel begon te jeuken zoals dat kan als je verwacht dat iemand je aan gaat raken. Ik voelde de zachte huivering van haar lippen op mijn keel en toen twee harde tanden die even boven mijn huid tot stilstand kwamen. Ik sloot mijn ogen en wachtte af. Maar iets maakte geluid en toen ik ze opendeed zag ik Bela Lugosi.

'Ga, ga,' riep hij tegen de drie vrouwen. Hij nam zijn sigaar uit zijn mond en gebaarde dat ze het souterrain moesten verlaten. 'Ik moet hem wakker maken. Er is werk aan de winkel.'

En ik werd wakker. Mijn matras was doordrenkt met zweet.

'Toby,' hoorde ik een stem. Ik keek om me heen en zag niemand. Toen kon ik een gezicht en een gedaante ontwaren.

'Je schreeuwde zo,' zei Gunther Wherthman. Hij stond voor mijn matras.

'Een nachtmerrie,' zei ik en ging rechtop zitten. 'Hoe laat is het?'

'Het is 6 uur 30,' zei hij na een blik op de notehouten klok.

Ik kwam overeind, boog mijn goede knie en deed oefeningen met mijn zere knie totdat ik zeker wist dat die het deed. Ik zette de radio aan en luisterde een poos naar Fibber McGee en Molly terwijl Gunther aanbood een paar eieren te bakken. Burgemeester LaTrivia probeerde McGee ertoe over te halen in de politiek te gaan, maar McGee zei dat hij wel iets beters te doen had. Ik bleef tijdens het maal zwijgen en Gunther stelde me geen enkele vraag. De stukjes van de puzzel vielen in elkaar en mijn geest werd weer helder. Ik gooide ketchup over de eieren en deed ze tussen twee stukken toast.

'Ik denk dat ik het heb,' zei ik en hapte bijna de halve sandwich op.

'Weet je wie de moordenaar is?' vroeg Gunther beleefd en nam een klein hapje ei.

'Precies,' zei ik kauwend. 'Ik heb alleen nog bewijzen nodig.'

'Of een bekentenis van de boosdoener. Is dat een archaïsch woord, boosdoener?'

'Het wordt in mijn kringen niet veel gebruikt,' zei ik en at de rest van de sandwich.
Ik leende een paar muntjes van Gunther, kleedde me aan en belde de moordenaar op.

9

Als je de zaken kosmisch bekeek, dan kwam het lot telkens tussenbeide in de door mij uitgestippelde agenda. Als je de zaken relatief bekeek, kon je gewoon zeggen dat ik een lekke band kreeg, een klusje van ongeveer tien minuten omdat ik een reserveband had. Dat wil zeggen, tien minuten als je een kruissleutel hebt, wat bij mij niet het geval was. De mijne bevond zich in de keuken van een flat in Culver City.

Mevrouw Plaut bezat een wagen, een Ford uit 1927 die daar al sinds 1928 onaangeroerd in de garage had gestaan, het jaar waarin haar man was gestorven. Ik wist dat ze gereedschap in die garage had en ik rende naar haar toe om de sleutel te vragen.

'Zou ik misschien gereedschap van u kunnen lenen?' vroeg ik met mijn liefste glimlach toen mevrouw Plaut de deur opendeed.

'Het is echt zo, het is echt zo,' zei ze met een droevige, wijze knik van haar hoofd en ze wilde de deur dichtdoen. Ik moest mijn hand uitsteken.

'Auto,' schreeuwde ik. 'Ik heb een kruissleutel nodig.' Ik imiteerde het verwisselen van een band om haar aandacht vast te houden. 'Gereedschap.'

'Wetenschap?'

'Gereedschap.'

'O, gereedschap,' drong het eindelijk tot haar door. 'In de garage. Ik pak de sleutel wel.'

Vijf minuten later was ik bezig met het verwisselen van mijn band en probeerde ik niet al te smerig te worden. De tijd schuifelde weg en zong een gek, oud liedje terwijl ik probeerde om hem in te halen. De zon was al zichtbaar toen ik klaar was en snel mijn handen waste.

Toen ik de sleutels aan mevrouw Plaut teruggaf, pakte die me bij de mouw en sleepte me mee haar woonkamer in.

'Luister eens even,' zei ze. Mevrouw Plaut was al tien jaar bezig met het opschrijven van de geschiedenis van haar familie. Het manuscript was al 1200 pagina's lang en telkens als ze Gunther of mij kon strikken, moesten we luisteren naar wat ze voorlas. Ze verkeerde in de veronderstelling dat ik halve dagen schrijver was. Ik ben er nooit achter gekomen hoe ze daaraan kwam.

'Mevrouw Plaut,' zei ik geduldig. Ik keek op mijn horloge en werd toen in haar zachte, overmaatse fauteuil geduwd. 'Ik moet echt gaan. Het is een kwestie van leven of dood.'

'Natuurlijk,' zei ze en ze had nu de pagina's op haar eiken tafel gevonden. 'Hier heb ik het.'

Ze liet me een pagina zien met daarop een langwerpige doos getekend die er als een doodskist uitzag.

'Dat is Californië,' lichtte ze toe.

'En die pijlen die uit elke richting komen?' vroeg ik.

'Die ene links is Engeland. Sir Francis Drake heeft Californië voor Koningin Elizabeth opgeëist. Die bovenste, dat is Rusland. Die wilden Californië ook hebben. En die rechts is Frankrijk. Die had het land aan de overkant van de Rockies. Daaronder is Spanje dat uit Mexico omhoogkomt. Die arme Indianen wisten niet wat hun overkwam.'

'Maar als dit uw familiegeschiedenis is,' vroeg ik niet onredelijk, 'waarom dan Californië erbij gehaald?'

'Voor de context,' zei ze innig tevreden. 'Een mens moet weten waar hij vandaan komt. De geschiedenis is toch een en al chaos.'

'Prachtig,' zei ik. Met moeite kwam ik overeind en ik ontsnapte nauwelijks aan een schaal koekjes die ze ter hoogte van haar middel hield. 'Laat u het maar in mijn kamer. Ik zal het bekijken als ik terugkom.'

Ik liep de deur uit en de straat op zonder om te zien. Enkele seconden later was ik op weg naar de bibliotheek van St. Bartholomew. Ik arriveerde daar even over zevenen en dezelfde verdorde bibliothecaris keek me met fiere arrogantie aan toen ik binnenkwam. Mijn voetstappen echoden door St. Bart en ik vroeg me af of Clinton Hill nog steeds begraven lag ergens onder onze voeten in een vunzig souterrain.

'U bent Chadwick niet,' zei de bibliothecaris vanuit de hoogte. 'En ik geloof ook niet dat u een academische graad bezit.'

'Dat klopt,' zei ik. 'Maar dat doet er niet toe, al ben ik Al-

bert Einstein; u hebt mijn pistool en dat wil ik hebben. Nu.'
'Ik heb u al gezegd dat…'
'Ik heb een zaklamp,' zei ik, 'en ik kijk zelf wel.'
'Zoals u wilt,' zei hij ongelukkig. 'U hebt twintig minuten en
u mag absoluut geen lawaai maken. En of u hem nu vindt of
niet, ik heb graag dat u dan de bibliotheek verlaat en dat we
uw gezicht hier nooit meer zien. U kunt uw echte naam en
adres achterlaten en als u hem niet kunt vinden zullen we u
uw vuurwapen doen toekomen.'
'Dat is fair,' zei ik en liep naar de wenteltrap.
Een meisje met kort haar en een bril keek op van een dik
boek toen ik voorbijkwam. Ze hield haar hand in haar haar
en keek alsof de omslag van het boek haar al in verwarring
bracht.
Bij het tweede souterrain pakte ik mijn zaklantaarn en vond
een ladder die naar de pikzwarte duisternis leidde. Ik wilde
naar beneden gaan en was al een meter of drie gedaald toen
ik een geluid boven me hoorde. Ik keek op en zag een silhouet. Toen lachte het silhouet, een lach die de ladder deed
trillen.
'Hill?' vroeg ik.
'Het is er niet,' zei hij. 'Je pistool is er niet meer. Ik heb hem
hier, zie je wel?'
Ik richtte de lamp omhoog en zag mijn pistool naar mij sta-
ren.
'Bedankt,' zei ik en klom ruggelings weer de trap op, waarbij ik maar het feit negeerde dat hij het wapen niet had vastgehouden in het gebaar van een vriend die iets geeft.
'Ik ben bijna door jou ontslagen,' zei hij met het wapen nog
steeds op mij gericht.
'Ik heb die vent niet verteld dat hij mij moest bespringen,'
zei ik en ging weer een tree omhoog. 'Doe dat pistool weg.
Wat wil je ermee doen? Wil je me soms neerschieten omdat
je bijna je baan bent kwijtgeraakt? Als je die baan wilt verliezen, dan moet je maar mensen gaan afschieten.'
Hij deinsde naar achteren en ik stapte langzaam op de overloop.
'Jij hebt de Zwarte Ridders over mij verteld,' zei hij en hield

het wapen nog steeds op mij gericht.

'Nee, en dat was ik ook niet van plan,' zei ik. 'De snelste manier om de Zwarte Ridders te verliezen is dat je mij neer-schiet.'

'Je zou over de leuning vallen, de duisternis in,' peinsde hij. 'En dan zou ik je kunnen verbergen.'

Ik rekende erop dat Wilson Wong Clinton Hill juist had ge-taxeerd en deed weer een stap naar voren.

'Je hand beeft,' zei ik. 'Jezus, Clinton, straks schiet je jezelf nog voor je sodemieter. Kijk toch uit, man.'

Hij overhandigde me nederig mijn pistool en begon weer te lachen.

'Ik wou dat ik niet zo slap was,' zuchtte hij.

'Zo slap ben je niet,' zei ik en controleerde het pistool om te zien of het geladen en gespannen was. 'Waarom ga je niet een poos de zon in?'

'De zon,' zei hij hees, 'kan je doden.'

'Jij bent toch geen vampier,' zei ik.

'Dat weet ik,' zei hij, 'maar ik ben een mens. De zon kan je huidkanker bezorgen.'

'Een gesprek met jou doet een mens goed, Clinton,' zei ik en stak het pistool in mijn zak.

'Zul je het echt niet vertellen?' soebatte hij.

'Echt niet. Op mijn erewoord,' zei ik en stak twee vingers omhoog.

De bibliothecaris met de strakke boord stond me boven aan de trap op te wachten.

'U hebt weer lawaai gemaakt,' constateerde hij.

'Dat is waar,' zei ik. 'Maar ik heb het Monster van Franken-stein onder al die paperassen gevonden en daar schrok ik toch zo van!'

'Ik kan uw gevoel voor humor niet waarderen,' zei de biblio-thecaris. Hij bracht me naar de deur en keek naar bubbels in mijn tas voor het geval ik een zeldzame derde editie van de Gutenberg-Bijbel had gesnaaid.

'Spijt me,' zei ik. 'Ik ben geestiger als ik me geen zorgen over mijn dood hoef te maken.'

De bibliothecaris wist geen raad met me en keerde naar zijn

balie terug. Ik rende naar mijn wagen. De radio vertelde me dat MacArthur wanhopig stand hield op Bataan, dat Roosevelt een oorlogsbudget van 59 miljard dollar wilde en dat Mickey Rooney en Ava Gardner getrouwd waren. Ik zette het nieuws af en luisterde naar Eddie Cantor tot ik bij het restaurant van Levy op Sprina was. Carmen zat achter de kassa een stel een rekening uit te leggen. De man kon niet begrijpen waarom hij voor de soep moest betalen, want dat hoorde volgens hem bij het diner. Carmen legde geduldig uit dat de soep apart berekend werd. Hij raaskalde nog even door. Zij zuchtte berustend naar mij en herhaalde haar uitleg.

De kerel wendde zich tot mij. Hij was vuurrood van woede. Het was maar een klein ventje, een kop kleiner dan zijn vrouw, maar het was duidelijk dat hij de baas was. 'Bij elk ander restaurant is de soep inclusief bij de maaltijd.'

'Dat komt door de oorlog,' legde ik uit. 'We moeten allemaal onze bijdrage leveren.'

'Misschien heb je wel gelijk,' zei de man schaapachtig. Hij had natuurlijk moeten zeggen: wat heeft die oorlog met mijn soep te maken? Maar het hele land was in een patriottische stemming en nu de Japanners opschepten dat ze een invasie konden doen bij Californië wanneer ze maar wilden, was een suggestie dat iemand geen goed patriot was al voldoende om omringd te worden door een groep zure, lelijke, ouwe wijven of erger.

'Ik betaal voor mijn soep en dat doe ik graag,' zei ik.

De man betaalde zijn rekening en sleurde zijn vrouw het restaurant uit.

'Nou, nou,' zei Carmen. Ze keek me vragend aan. Wat wilde ik van haar en waar kwam ik vandaan? Het weduwschap stond haar uitstekend. Ze kon Camile Shatzkin nog een paar lesjes geven.

'Ik heb gewerkt,' zei ik. 'Twee zaken. Lange uren, de gebruikelijke betaling. Wat vind je ervan, morgen een bioscoopje en etentje?'

'Geen nachtclub?' vroeg ze zogenaamd teleurgesteld.

'Dat was een combinatie van zaken en het meisje.'

156

'*The Chocolate Soldier* draait met Nelson Eddy in de hoofd-rol,' zei ze en boog zich glimlachend naar me toe.

'Morgen,' zei ik. 'Dan is mijn hoekje van de wereld weer helemaal opgeknapt.' Ik had daaraan toe kunnen voegen dat ik evenveel kans had om afgeknapt te zijn, maar ik liet het maar zo.

'Morgen,' sprak ze af. 'Ik ben de hele middag en avond vrij.'

Ik nam haar bij de hand en kuste die zo luidruchtig dat hoofden zich omdraaiden. Toen bestelde ik een koosjere corned-beef met ketchup om mee te nemen. Je kunt moeilijk romantisch doen in een koosjer restaurant. Voor het eten kwam, belde ik Lugosi. Hij was thuis. Ik vertelde hem dat zijn probleem vermoedelijk morgen voorbij zou zijn en dat ik op weg naar Billings was.

Ik pakte mijn sandwich aan, stak hem onder mijn arm, nam afscheid van Carmen en reed weg naar mijn bestemming of noodlot.

Een tweede telefoontje aan mijn moordenaar werd niet opgenomen en dit verontrustte me. Ik had enkele uren geleden gebeld met de boodschap dat ik langs zou komen om te praten over iets dat met de zaak-Shatzkin verband hield. De moordenaar had me beloofd dat hij vanaf tien uur thuis zou zijn. Tot dan had ik nog de tijd om een van mijn twee zaken op te lossen en daarom reed ik terug naar Los Angeles. Langzamerhand kende ik de weg goed.

Toen ik op mijn bestemming aankwam, was de zon onder en aan de hemel dreigde de donder. Maar erger was de totale verduistering. Ik kon geen hand zien.

Ik parkeerde naast het theater en liep naar het kantoor dat gesloten was. Het theater was in duisternis gehuld. Ik voelde aan de deuren, maar ze waren allemaal op slot.

Net toen de eerste druppels begonnen te vallen, liep ik om het theater en daarachter zag ik een huis op een heuvel. Het was een oude woning van drie hoog die eens wit was geweest, maar tijd en onverschilligheid hadden hun tol geëist en nu was ze grijs. Nergens brandde licht, maar ik liep toch de heuvel op met een been dat nog steeds zeer deed. De treden kraakten en het geluid vermengde zich met het geraas van de regenachtige wind.

Op de veranda stond een oude schommelstoel die zacht
heen en weer ging in de wind alsof er iemand inzat. Ik klopte
aan, maar niemand gaf antwoord. Ik klopte weer, met evenveel resultaat. Toen pakte ik mijn zaklamp en bescheen de
ramen, maar alles zag er verlaten uit. Ik liep de veranda
weer op en toen de regen in. Nu bescheen mijn lamp de
tweede etage. Ik dacht dat ik een gordijn zag bewegen maar
was daar niet zeker van. Ik floot een zelfbedacht deuntje,
liep terug naar de veranda en voelde aan de deur. Die ging
zo volmaakt krakend open dat elk ogenblik de Three Stoog-
es krijsend naar buiten konden komen.

De straal viel op een trap en enkele kamers. Van wat ik in de
zwakker wordende lichtbundel kon ontwaren, was het huis
klassiek ingericht.

'Billings,' riep ik, maar kreeg geen antwoord. Ik dacht een
geluid boven me te horen.

Weer kraakte er iets boven mijn hoofd. Mijn gele lichtstraal
was bijna krachteloos en het allerlaatste straaltje richtte ik
naar de muren in de hoop een schakelaar te vinden. Ik vond
er een en knipte hem aan, maar er gebeurde niets.

Mijn zaklamp besloot dat hij voldoende zijn best had gedaan
en sloot zijn oog. Buiten was het hard gaan regenen. Enkele
bliksemstralen voegden zich hierbij en ik pakte mijn pistool.
Mijn ogen begonnen langzamerhand aan die vloeibare sche-
mering te wennen, maar tot die tijd hield ik mijn wapen pa-
raat. Toen ik iets kon zien, stak ik het pistool in mijn holster.

'Sam,' zuchtte ik, 'Wat doe je toch moeilijk!'

De stank van het huis maakte me bijna misselijk. Toen de
bliksem oplaaide, zag ik de bovenkant van de trap. Langzaam ging ik omhoog, met mijn rug tegen de muur, en mijn
knie telde elke tree smartelijk af.

Op die manier zou het me maar vier of vijf dagen vergen eer
ik bij de overloop was, waar Billings me ongetwijfeld met
zijn kunsttanden zou bespringen. Of met een fles wortelbier. Dat deed hij evenwel niet en ik legde me erbij neer dat
ik hem moest zoeken. Ik herinnerde me een spannend ogenblik waarin Ralph Edwards een verslaggever speelt die een

nacht in een spookhuis doorbrengt en daar gek vandaan komt. Het was geen herinnering die me opbeurde, maar een mens heeft over dat soort kleinigheidjes zo weinig te zeggen. Ik hield me voor dat MacArthur het zwaarder bij Bataan had, maar ook dat hielp me niet veel. Ik kon niet in Bataan geloven. Dat bestond niet echt. Wat wel bestond was dit gammele huis en mijn angst.

'Billings,' riep ik. 'Ik word echt kwaad.'

Ook de schakelaar in de hal deed het niet. De stroom was kennelijk door de storm afgesneden of misschien hadden ze hier niet eens elektriciteit. Of misschien had iemand een paar stoppen eruit gedraaid.

Slaapkamers kwamen op de hal uit en elk van hen leek leeg toen ik de deur opende. Geen ervan zag eruit alsof hier iemand geslapen had. Aan het einde van de hal bevond zich een balkon dat op de huiskamer neerkeek. Ik stapte op dat balkon en wachtte op het koude licht van een bliksemstraal, maar zag niets. Weer hoorde ik iets bewegen, nu hoger. Ik draaide me om en zag een trap die omhoog voerde naar wat vermoedelijk de bovenste verdieping was.

'Sam,' zei ik, 'dit is niet leuk voor een zere knie en je kunt toch nergens naartoe. Vroeg of laat is dit spelletje voorbij.'

Ik liep omhoog. Deze treden waren nog smaller dan de vorige. Toen ik bij de overloop kwam, dacht ik ademhaling te horen. De drie deuren op deze verdieping leken me op slot. Ik liep naar de eerste en trapte hem open. Niets.

Onder me dacht ik iets te horen, een zacht geknars, en toen wist ik het zeker. Iemand deed de voordeur open en werd door de muzikale hengsels aangekondigd.

'Wie is daar beneden?' gilde ik en stapte de overloop op, maar ik kreeg geen antwoord. Ik bleef staan en probeerde geen adem te halen, maar dat was voor een deerlijk beproefde ziel te veel gevraagd.

Ik dacht het gekraak van trappen te horen. Ik liep naar de balustrade en leunde eroverheen. Ik zag niets. Op dat ogenblik verkoos de bliksem toe te slaan. In de lichtflits zag ik een schaduw op de trap.

'Blijf daar,' zei ik. 'Ik heb een pistool.'

Het antwoord was een nijdige ping vlak bij mijn hoofd. Het schot had me op een haar na gemist. Ik trok mijn .38 en richtte op de trap.

Dit was een mooi ogenblik om mijn record niet-op-iemand-schieten te breken. Ik leunde naar voren, richtte en schoot. Iets bewoog in de kamer achter mij en ik draaide me om. Wat het ook was, het besprong me en ik moest me als een wilde vastklampen om niet over de balustrade te gaan, het hoofd omlaag. Daarbij liet ik in mijn wanhoop het pistool vallen. De .38 sprong over zes, zeven treden tegelijk.

Stilte. Ik hijgde zwaar en likte zweet van mijn bovenlip. Krampachtig staarde ik de duisternis in waar mijn wapen lag. Had ik een kans tegen mijn aanvaller? Ik maakte niet eens meer onderscheid tussen de figuur boven en die onder me.

De bliksem liet het afweten en ik zag mijn wapen niet, maar nu hoorde ik voorzichtig voetstappen naar boven komen. Over een paar seconden, hooguit dertig of veertig, zou degene die op de trap was mijn pistool vinden en weten dat ik ongewapend was. En zelfs als ze mijn pistool niet vonden, dan konden ze dat nog wel uitrekenen omdat ik opgehouden was met schieten. Ik had dringend een wapen nodig. Aangezien dit het huis van Sam Billings was, betwijfelde ik of ik zelfs een zwaar kruisbeeld zou vinden waarmee ik kon gooien. Weet u het? Nee, zeg maar niks, het is altijd gemakkelijk een oplossing te bedenken als het mes op andermans strot staat.

Ik trapte mijn schoenen uit en droeg ze naar de eerste slaapkamer. Daar stond een tafel in de hoek en iets dat op een bank leek. Ik liep tastend naar de tafel en mijn handen vonden iets rechts en glads. Het was een kaars. Ik liep met tastende hand naar de muur, maar ook nu gebeurde er niets. Ik hoorde voetstappen omhooggaan. Ik had de treden niet geteld, maar wist dat het er niet oneindig veel waren. Een stoel kon als wapen dienen, maar dat was wel het laatste verdedigingsmiddel tegen een pistool. De voetstappen klonken nu snel. Het was tijd voor dat allerlaatste wapen. Ik greep een stoel en liet hem bijna uit mijn zwetende handen glijden.

Mijn schoenen had ik op tafel gezet. Ik ging achter de deur staan en wachtte en wachtte en wachtte. De trap kraakte en de wind blies en de regen viel en ik dacht dat ik moest overgeven. Het was de kunst om op het juiste moment met de stoel te zwaaien als die vent met het pistool binnenkwam. Maar de stoel werd al behoorlijk zwaar en ik moest vechten tegen een bijna onweerstaanbare giechelaanval van angst. Al mijn zintuigen stonden gespannen. Al mijn zenuwen stonden ingeschakeld. Ik hoorde de duizend pijnen en zuchten van het gebouw. Mijn geest probeerde daar orde in te brengen, om ze te benoemen. Toen dacht ik achter de deur gekraak te horen en ik pakte de stoel nog steviger beet, maar wilde geen lawaai maken. Nu, dacht ik, maar een ander stemmetje in mij zei: 'Nee, wacht.' Ik wachtte, wachtte, wachtte en toen ik een nieuwe golf van gevoelens kreeg, kon ik het niet meer harden en maaide met de stoel. Ik raakte iets en hoorde een pijnlijk 'Urfggg'.

Ik liet de stoel vallen en stapte de overloop op om een trap te geven. Dat zou met mijn blote voeten niet al te verwoestend aankomen, maar alles was beter dan wegrennen of verstoppen. De loop van een pistool schuurde over mijn borst en ik bleef stokstijf staan. Mijn voeten gleden weg en ik lag op mijn rug op de vloer waardoor ik de kogel die voor mijn borst bestemd was miste. Ik rolde terug en trapte de deur dicht, maar een tweede kogel spatte met zoveel lawaai door het hout dat mijn rechteroorlel begon te trillen.

Wat moest ik doen? Ik deinsde weg. De deur ging langzaam open en nu zag ik dat ik me met de moordenaar in de kamer bevond. Ik had een val uitgezet, maar de moordenaar had daarop niet willen wachten.

Het pistool had me gevonden, maar er kwam geen schot. Ik bleef roerloos terwijl de moordenaar me in het vizier hield. Hij zocht zich tastend een weg naar de tafel. De donkere gedaante gebaarde dat ik opzij moest gaan en ik gehoorzaamde. Aan het geluid te oordelen trok iemand iets uit een zak en toen ik een lucifer hoorde opvlammen wist ik wat het was. De moordenaar stak de kaars aan en draaide zich toen om naar mij.

10

Het licht van de kaars verlichtte een kleine kamer. Ik stond vlak bij de deur. Aan mijn rechterkant bevond zich een kale muur met drie foto's in ovale lijsten. Ze stelden allemaal vrouwen van rond de vijftig voor. De muur aan mijn linkerzijde was van plafond tot vloer met zware, bloedrode gordijnen afgezet. Ik had dat soort gordijnen eerder gezien, in het souterrain van het theater tien meter verderop, waar de Zwarte Ridders samenkwamen. Dat leek een eeuwigheid geleden, maar het was pas vijf dagen. Aan de muur tegenover mij was een enkel raam, klein, vuil en huilend van de regen. Er stonden enkele stoelen en een tafel met een kleed erop. Op de tafel stond een soort standbeeld met nogal wat armen. Voor de tafel stond Jerry Vernoff die een pistool in mijn richting hield.

'Ik weet dat we wat later een afspraak bij mij thuis hadden,' zei hij leunend tegen de tafel. Hij droop van de regen en zijn gele haar plakte tegen zijn voorhoofd. 'Maar toen begon ik te denken dat je geen reden had om mij te spreken en dat je misschien, ik zeg misschien, een en ander had opgeteld. Ik zie aan je ogen dat je niet verbaasd bent om me te zien, ik kan dus concluderen dat ik gelijk heb gehad. Niet gek, hè?'

'Derde klas,' zei ik en liet me tegen de muur vallen. Zijn gezicht betrok en de greep van zijn pistool werd steviger. Die opmerking was aangekomen. Hij wilde schieten, maar tegelijk meer horen. Ik hoopte maar dat ik de situatie en hem goed had verwerkt en dat Vernoff inderdaad wilde praten.

'Derde klas,' zei hij geïrriteerd. 'Kom nou. De plot was...'

'Te gecompliceerd,' maakte ik de zin voor hem af.

Hij stak zijn hand uit en wierp me mijn schoenen toe. Ik rekende erop dat hij niet zou schieten voor ik ze aan had en tegen die tijd moesten we in een hevig debat verzeild raken waarin ik misschien iets kon doen. Hij was een meter of drie weg en ik had dus geen schijn van kans. Het beste kon ik hem midden in een zin verrassen en er via de deur vandoor

gaan, de trap af. Ik wist niet hoe mijn knie die optie zou op-
vatten en opeens kreeg ik een morbide gevoel van zelfvol-
daanheid. Als Vernoff me in de rug zou schieten voor ik de
trap af was, was dat Phils schuld, want die had mijn knie ver-
pest. Dan zou hij niet meer zingen van 'Wat zal ik blij zijn als
je dood bent'.
'Wat bedoel je met te gecompliceerd?' drong Vernoff aan.
Ik ging staan en keek om me heen alsof ik de hele oorlog de
tijd had.
'De moord op Shatzkin,' zei ik. 'Waarom heb je hem niet
gewoon neergeschoten en gezegd dat een inbreker het heeft
gedaan? Dat zette me aan het denken over jou. Elke moord,
die van Shatzkin, Newcomb en Haliburton had een gimmick, een gimmick uit een B-film, jouw specialiteit.'
Dat deed hem zichtbaar pijn. Mijn woorden hadden van zijn
hersenen een maalstroom gemaakt.
'De politie kreeg een keurig ingepakte moordenaar van
ons,' zei Vernoff.
'Ons? Je bedoelt jezelf en mevrouw Shatzkin. En hoe zit het
met Newcomb en Haliburton?'
'Camile en ik en Newcomb, maar Haliburton hoorde er niet
bij,' legde Vernoff uit. 'Die wist van toeten noch blazen. Hij
was gewoon een grote schoothond die bij toeval te veel te
weten was gekomen.'
'Een heel actieve schoothond, zou ik zeggen,' zei ik.
Vernoff ontplofte bijna van jaloezie.
'Wat bedoel je daarmee?'
'Kom nou, Jerry,' zei ik. 'Die plot staat in jou archiefkast.
Zo'n knappe bruut als Haliburton! Dacht jij dat die zwer-
vende Camile van jou nooit eens ergens anders haar plantjes
liet begieten?'
'Ze hield hem gewoon aan het lijntje, ze gebruikte hem,
meer niet,' zei Vernoff.
'Ik krijg weer die dialogen uit die rotfilms, Jerry,' zei ik.
'En als ik wil schiet ik zo een gat door je…' Hij zweeg.
'Zie je wel, alweer een B-dialoog,' zei ik ten overvloede,
want hij had dit zelf al bedacht. 'Daar kom je maar niet van
af.'

'Ik kan schrijven,' zei Vernoff. 'En Camile en ik hebben nu geld, het beheer over een groot agentschap en dan krijg ik eindelijk mijn kansen. Dat is het enige wat je nodig hebt, goede connecties. Talent is niet voldoende.'

'Dat zei Warner Baxter al in *42nd Street*,' duwde ik door. 'En nou is het genoeg, Peters,' schreeuwde hij en ik kon zien dat het inderdaad genoeg was. Ik sloeg een andere richting in. 'Heb je Camile Shatzkin leren kennen toen je de cliënt van haar man was?'

'Dat klopt,' zei hij, iets meer gekalmeerd. 'Op een feestje bij hem thuis. Ik heb een poos met haar gepraat. Ze was geïnteresseerd in mijn werk, in mijn carrière. Het een leidde tot het ander en ze zei toen dat ze wat van me wilde lezen. Ik nodigde haar uit om eens langs te komen. En zo is het begonnen.'

'Dacht jij dat ze toen al van plan was zich van haar echtgenoot te ontdoen?' vroeg ik.

'Dat was mijn idee. Het is helemaal mijn idee geweest.' Hij wees met zijn linkerduim naar zichzelf en ik kon zien dat Jerry Vernoff zich niet meer onder controle had. Hij wilde niet graag horen dat hij maar een karakter was en Camile Shatzkin de auteur.

'Ik heb het idee om van Shatzkin af te komen uit mijn archief gehaald,' zei hij trots. 'Thayer Newcomb was een oude kennis die net als ik nooit een kans had gehad. Hij was een goed acteur, maar had de reputatie dat hij af en toe gekke dingen kon doen, geweld en zo. Hij belde Shatzkin op, stelde zich als Faulkner voor en maakte een lunchafspraak op woensdag halftwee. Toen belde hij Faulkner, zei dat hij Shatzkin was en maakte een afspraak voor woensdag twaalf uur. Toen Faulkner kwam opdagen op het kantoor van Shatzkin, stond Thayer hem op de trap op te wachten. Hij ging naar beneden en liep zogenaamd toevallig Faulkner tegen het lijf alsof hij net op het punt stond zijn kantoor te verlaten. Hij laadde Faulkner in een taxi en ze reden naar Bernstein. Hij heeft het uitstekend gedaan.'

'Nog meer troep uit een B-film.' Ik kon het niet laten. 'Newcomb heeft zijn rol niet goed ingestudeerd. Hij maakte van

Shatzkin een lawaaierige, vlotte agent die zo uit een film kwam. Dat was een van de eerste dingen die me wantrouwig maakten. Want Shatzkins secretaresse, een degelijk type, had me verteld dat haar baas allesbehalve zo'n figuur was als Newcomb ten beste had gegeven.'

'Maar dat…' zei Vernoff hulpeloos.

'Laat me uitspreken,' zei ik en ondertussen schuifelde ik centimeter voor centimeter naar de deur waarbij ik deed of ik telkens op een ander been ging staan. 'Hij liet Faulkner achter, beloofde contact met hem op te nemen en ging toen naar het restaurant waar hij had gereserveerd voor zijn gesprek met Shatzkin. Hij plakte een valse snor aan en speelde Faulkner, kennelijk heel wat beter dan Shatzkin, want Shatzkin nodigde hem uit om mee te gaan eten. Klopt dat?'

'Klopt,' straalde Vernoff. Hij voelde zich weer de auteurregisseur van een geslaagde misdaad.

'Vervolgens,' zei ik, 'verscheen Newcomb bij de familie Shatzkin waar hij de onschuldige Jacques neerschoot. Gelukkig voor jouw plot bleef Shatzkin lang genoeg in leven om zijn aanvaller als Faulkner te identificeren, de man die hij te dineren had gevraagd en waarmee hij had geluncht. Camile was maar al te blij dat ze hem bij kon vallen. Jij vergat dat Camile Faulkner niet kon identificeren, want ze had hem nooit ontmoet. Een foto van Harry James was volgens haar pertinent Faulkner.'

'Een kleine vergissing,' gaf Vernoff toe, 'maar ik heb hem rechtgezet.'

'O zeker,' zei ik en schuifelde weer een centimeter naar de deur. 'Zij raakte in paniek en stoof naar jullie liefdesnestje in Culver City en toen ik daarachter kwam, probeerde ze jou te beschermen door mij wijs te maken dat Newcomb haar minnaar was. Nog meer complicaties.'

'Maar ik ben niet in paniek geraakt,' zei Vernoff zelfvoldaan.

'Niet meteen,' zei ik. 'Je besloot eerst jezelf wat meer tijd te gunnen. Ik had je over de zaak-Bela Lugosi verteld en met Newcomb besloten jullie daar iets mee te doen. Die zaak moest al mijn tijd vergen, me bang maken en in verwarring brengen. De beste acteerstaaltjes van Newcomb zijn die aanvallen op mij geweest.'

'Dat was niet alleen acteren,' zei Vernoff. 'Ik had je toch verteld dat hij gewelddadig kon zijn.'

Ik vroeg: 'Waarom heb je Faulkner erbij betrokken?'

'Dat kwam zo uit,' zei Vernoff, in de verdediging gedrukt.

'En jij vond het niet leuk dat hij die reputatie had waar jij naar hunkerde,' zei ik. 'Hij was immers de grote man, de vermaarde auteur.'

'Het kan ermee te maken hebben,' gaf Vernoff toe. De kaars sputterde even toen de vlam door een bries gegrepen werd en ik spande me, gereed om eruit te breken, maar hij ging niet uit en ik liet me weer tegen de muur vallen.

'Faulkner is zo'n zelfingenomen, arrogante… hij mocht me niet, van meet af aan liet hij merken dat hij mij maar een klungel vond. Maar ik zeg je dat hij me nodig had. Van plots heeft hij geen bal verstand.'

'En dus,' vervolgde ik, 'bespeelde jij die vrijdagavond, toen je met hem aan het werk was, zijn emoties, waardoor hij van jou het gevoel kreeg…'

'Dat hij van me kotsen moest,' zei Vernoff.

'Gemakkelijke rol,' zei ik. Vernoff schudde meewarig zijn hoofd omdat ik hem niet begreep. 'Jij stelde even voor negen die pauze voor en Faulkner ging voor de bijl en rende naar een bar. Op die manier kon je hem geen alibi verschaffen. Maar wat als iemand anders hem gezien had?'

'Ik ben hem achternagegaan. Ik wilde het zeker weten. Hij liep terug naar zijn kamer toen hij zeker wist dat ik weg was. Het is volmaakt verlopen.'

De regen nam af en werd zelfs rustig, waarna hij plotseling woedender dan ooit tekeerging.

'Goed, gaan we even naar het verleden terug,' zei ik. 'Newcomb valt me op parkeerterreinen en in bibliotheken aan. Hij belt Lugosi op met zware dreigementen. Tussen twee haakjes, moest hij werkelijk die ene regel declameren? Kon hij die niet eens onthouden? Want ik vond hem in zijn portefeuille.'

'Hij wilde er zeker van zijn dat hij precies de juiste zin gebruikte,' legde Vernoff uit.

'Fouten, Jerry,' zuchtte ik. 'Alsmaar fouten. Toen ik dat kaartje in zijn zak vond, net als die andere kaartjes in jouw appartement, toen wist ik wat er gebeurd was. Waarom heb je Newcomb vermoord?'

'Dat is niet zo moeilijk te raden,' zei hij. Hij verschoof het pistool in zijn hand om er een betere greep op te krijgen. 'Thayer en ik zijn jou naar die nachtclub in Glendale gevolgd. Toen besloten we je omver te rijden zodat het een ongeluk zou lijken. De politie zat ons niet achterna, jij wel. En als jij opgeruimd was, kregen wij weer vrij baan.'

'Verkeerd,' zei ik. 'De politie zou precies hetzelfde hebben onderzocht als ik, vooral als ik toevallig door een ongeluk om het leven was gekomen.'

'Dat is jouw mening,' zei hij gemelijk. Dat was het ook, maar mijn mening was gebaseerd op ervaring en niet op dagdromen.

'Maar je hebt me niet vermoord en toen kwam ik jou opjagen.'

'Inderdaad,' zei Vernoff. 'In de auto begon ik te denken. Camile had gesuggereerd dat Thayer haar minnaar was. Als Thayer dood was, kon jij geen kant meer uit, vooral niet als zijn dood verbonden leek te zijn met die Lugosi-zaak van jou. En trouwens, wie weet zou Thayer op een goede dag het idee kunnen krijgen ons te chanteren. Of anders was er alle kans dat hij eens gearresteerd zou worden en dan zou doorslaan. Ik reed naar Culver City. Ik parkeerde bij de flat en schoot hem dood. Toen duwde ik die houten staak erin om de kogelwond te maskeren.'

'Een heleboel vliegen dood in één klap,' zei ik. 'Je hoefde hem dan ook niet meer te betalen en je had geen zorgen meer dat je in de toekomst uitgeknepen zou worden.'

'Ik wist wat ik deed,' zei hij trots.

Ik schudde mijn hoofd en kon in het dansende kaarslicht zien dat hij mijn gebrek aan waardering niet kon waarderen. 'Wat is er dan misgegaan?'

'Alles wat jij hebt gedaan,' zei ik, 'heeft die twee zaken met elkaar verbonden. Het enige wat ik had te doen, was mijn lijstje af te gaan van mensen die wisten dat ik aan beide zaken werkte. Ik had het jou verteld toen we het onder een biertje zo gezellig over plots hadden. En alles werd plotteriger en plotteriger. Weet je, Jerry, je had je slachtoffers beter gewoon af kunnen schieten en je pistool in de oceaan gooien. Je had gewoon door moeten werken. En hoe zit het met Haliburton?'

Ergens voor de dageraad zou het verhaal van Vernoff afgelopen zijn en dan zou hij weer een lijk achterlaten. Ik had die deur graag dichter bij me gehad en wat meer kans, maar ik moest roeien met de riemen die ik had.

'Jij zette hem in beweging,' zei Vernoff. 'Jij plantte het idee in zijn kop dat Camile schuldig kon zijn aan de moord op haar man en dat ze met Thayer een verhouding had.'

'En was dat dan niet waar?'

'Niet wat Thayer betreft,' zei Vernoff. 'Ik moet er langzamerhand een einde aan maken, Peters. Ik weet niet wie de eigenaar van deze tent is, maar misschien komt hij thuis en dan wil ik hier niet zijn.'

'Heb jij me hier naartoe gevolgd?'

'Ja,' zei hij. 'Jij wilde meer weten over Haliburton. Die luisterde gisteren een telefoongesprek tussen mij en Camile af. Hij ging naar haar toe, zei dat hij wist wat er gebeurd was en dat hij er vandoor ging. Camile belde mij op en hield hem tegen. Ze bereikte me een paar minuten nadat ik thuis was gekomen van Culver City. Ik kwam op tijd in Bel Air om Haliburton naar Belvédère te volgen.'

'Waar jij je liet inschrijven als meneer Mann, compleet met een masker van scheerzeep. Waar had je dat jachtgeweer vandaan?'

'Van mijn vader. Die jaagt. Ik heb nooit de lol ingezien van het doodschieten van onschuldige dieren als je ze toch niet opeet,' zei hij.

'En onschuldige mensen?' vroeg ik. 'Zoals Haliburton?' En ik? wilde ik zeggen, maar ik hield mijn mond maar.

'Dat was anders,' zei Vernoff opgewonden. 'Dat was een kwestie van overleven, hij of ik.'

'En Shatzkin? Was dat ook overleven? Je vader zal trots op

je zijn als hij hoort over jouw jacht. Ik heb drie kanjers neer-
geknald, pa, allemaal mensen.'
'Vier,' grinnikte Vernoff. 'Je hebt jezelf vergeten.'
'En waarom zou je daarmee stoppen?' vroeg ik. 'Waarom
pak je Faulkner ook niet? Die komt straks misschien met
meer details over die nep-Shatzkin op de proppen. Of Camile? Die is bepaald geen toonbeeld van discretie geweest. En
Lugosi. Er is letterlijk geen einde voor een ondernemend
schrijver met een verwrongen fantasie.'
'En nou vind ik het zat,' zei hij.
Maar ik was niet meer te stoppen. Overleven was belangrijk
en ik kon misschien Vernoff woest maken nu ik geen verhaaltje meer over had, maar ik was ook woest geworden. Ik
had geen zin om verloren te raken in het lijstje slachtoffers
dat rechtstreeks uit een lade met plots kwam.
'Jerry, je hebt het hopeloos verknald,' zei ik.
'Nou, dan zullen we voortaan maar van mijn fouten leren,'
zei hij en richtte zijn pistool. Ik had geen enkele kans om te
verhinderen dat hij schoot vóór ik bij de deur was, maar misschien miste hij of schakelde hij me niet meteen uit, of…
maar ik had geen tijd meer om te gokken en te gissen.
Ik hoorde gekraak, iets als die scharnieren van de voordeur.
Het geluid kwam van achter de bloedrode muur. Vernoff en
ik keken allebei naar de gordijnen die golfden in het kaarslicht. Vernoffs wapen wees nu naar het gordijn dat openging. Dracula stapte naar binnen. Hij was in de bekende
smoking en cape. Hij trok de cape over zijn gezicht om zijn
neus en mond te bedekken. Zijn ogen brandden in die van
Vernoff en zijn lange rechterhand wees met een bleke vinger
naar de man die het wapen vasthield.
'Leg dat pistool neer,' commandeerde hij. 'Leg neer!'
Vernoff schoot in het wilde weg met opengesperde ogen. De
kogel vloog ergens in het plafond en ik stoof naar voren voor
hij zich kon herstellen. Ik greep hem om zijn middel, maar
kon hem niet tegen de grond werken. Hij was een grote
man, maar ik vocht voor mijn leven. Hij sloeg me met zijn
pistool op de rug en ik stompte in zijn kruis. Kreunend sloeg
hij dubbel en het wapen kletterde weg naar een donker

hoekje. Op mijn rug en met brandende schouder zag ik Vernoff naar de Dracula-gedaante kijken die langzaam naderbij kwam. Ondanks zijn pijn wilde Vernoff naar de deur gaan. Hij bewoog zich niet snel, maar ik kon me helemaal niet meer bewegen. Daar buiten lag ergens mijn pistool en dat kon hij misschien vinden. Dan zou hij zich vermannen en zijn karwei afmaken.

Ik volgde hem naar de deur voorbij Dracula die roerloos stond. Vernoff stond boven aan de trap met zijn handen voor zijn kruis. Het was donker en ik zag hem daar staan, gebogen als Quasimodo. Ik sprong hem op zijn nek en samen donderden we de smalle trap af. Dat was me eerder overkomen en ik wist wat me te doen stond. Mijn handen hielden hem stevig vast en ik had mijn hoofd tegen zijn kin geperst. Hij kreeg de meeste klappen. Toen we bij de overloop van de tweede verdieping kwamen, liet ik los en Vernoff sloeg dreunend tegen de muur.

Het leek of hij genoeg had gehad, maar ik was niet in de stemming nog meer klaar te spelen. Toen ving mijn oog mijn pistool dat binnen zijn handbereik lag. Hij wilde overeind komen en ik probeerde dat ook, maar zonder succes. Toen sloeg de bliksem vlak bij in en alles werd hel verlicht. Vernoff zag het pistool en boog zich ernaar toe, maar hij wachtte even toen hij het gekraak op de trap boven hem hoorde.

Dracula baadde in een nieuwe bliksemschicht en zijn stem brulde een waarschuwing uit: LAAT DAT.

Vernoff deinsde terug, vermande zich en pakte het pistool. Ik duwde me voorover en sloeg met mijn hoofd tegen zijn hoofd. De knal deed mijn lijf trillen van mijn schedel tot aan mijn grote rechterteen. Vernoff, wiens schedel minder ervaring met pijn had, schoof kreunend naar achteren. Hij raakte iets in de duisternis dat piepte en toen kraakte en vervolgens verdween zijn silhouet.

Ik hield mijn hand op de muur om me ergens aan vast te houden en een andere hand hielp me overeind.

'Waar is hij naartoe gegaan?' vroeg ik. Kleuren dansten voor mijn ogen.

'Hij is door de trapleuning omlaaggevallen,' zei Lugosi's

stem aan mijn zijde.

Hij hielp me naar de leuning die een gat vertoonde waar Vernoff doorheen gevallen was. Toen ik omlaag keek, zag ik zijn gedaante in de huiskamer liggen. Hij bewoog zich niet.

'Was het een bevredigende vertolking?' vroeg Lugosi.

'Het heeft mijn leven gered,' zei ik.

Bij de volgende bliksemslag kon ik een glimlach van tevredenheid ontwaren op het gezicht van de acteur.

Mijn rust was maar van korte duur. We hoorden iets boven ons bewegen en dat waren geen ratten. Het waren voetstappen en toen herinnerde ik me de figuur die tegen me aan gelopen was toen de schietpartij net was begonnen.

Ik had mijn wapen in de hand en mijn zintuigen waren al bijna weer in normale toestand, hetgeen betekende dat ik kon zien, horen en voelen. Minstens zo goed als de gemiddelde nog levende veteraan uit de Burgeroorlog.

Met Lugosi op mijn hielen beklom ik weer de trap. Deze keer liep ik langzaam, niet uit angst, maar omdat mijn lichaam me overal pijn deed.

'Ga naar beneden en bel de politie. Bureau Wilshire. Vraag naar hoofdinspecteur Pevsner of brigadier Seidman,' zei ik. 'Als Vernoff niet dood is, bel dan een ambulance. En probeer of u die stop kunt vinden zodat we tenminste licht hebben.'

'Oké,' zei Lugosi en met golvende cape schreed hij de trappen af.

Ik ging naar boven en deed geen enkele moeite om lawaai te voorkomen. De kaars brandde nog. Ik liep de kamer in, pakte hem op en vond Vernoffs pistool.

'Billings,' gilde ik. 'Ik ben niet in de stemming. Kom als de verdommenis hiernaartoe. Als ik je moet zoeken…'

Ik hoorde iets boven mijn hoofd scharrelen. Ik liep de overloop op en zag een houten ladder die naar een zolder leidde.

'Billings,' schreeuwde ik de duisternis in. 'Ik heb geen zin om dat ding te beklimmen. Ik heb een kapotte knie. Houd op met dat duimzuigen en kom omlaag.'

Iets boven mij schuifelde, bewoog zich en hield zich weer stil.

'Helpt het als ik een paar kogels door de vloer jaag?' vroeg ik.

De trapdeur ging open. Ik kon het horen, maar niet zien. Toen hoorde ik het hoge, trillende stemmetje van Billings.

'Wat wilt u van mij?'

'Er ligt een lijk in je huiskamer,' zei ik zoetsappig. 'En er zijn een paar zaken die we even moeten bespreken.'

'Hoe weet ik dat u me geen pijn zult doen?' vroeg hij.

'Op mijn erewoord,' zei ik. 'En wil je nu alsjeblieft naar beneden komen voordat de politie arriveert? Als ik in mijn huidige conditie en stemming die trap moet beklimmen zal het gesprek aanmerkelijk minder prettig verlopen.'

De lampen gingen aan. Het huis was niet bepaald als een toneel verlicht, maar er brandden tenminste lampen en ik zag Billings' bleke gezicht. Hij wilde weer terugkruipen in zijn hol, maar ik riep: 'O nee, omlaag met die dikke reet, graaf.'

Hij kwam schaapachtig en moeizaam omlaag. Hij droeg zijn vampierkostuum en zag er benauwd uit, waar hij alle reden toe had.

'Kom, we gaan naar beneden,' zei ik en ging voor. Ik blies de kaars uit en zette hem op de overloop.

'Dat heb ik niet...' zei hij toen hij de gebroken balkonbalustrade zag.

'O jawel, dat heb je wel gedaan,' zei ik en duwde hem zacht naar voren. De plek waar Vernoff me had geraakt, bonkte als de hel.

Eenmaal op de begane grond aangekomen wilde Billings naar de achterkant van het huis gaan, maar ik voerde hem de woonkamer in. Daar lag Vernoff, met open ogen, starend naar zijn hand die nooit meer de plots kon uittypen die zijn gebarsten schedel evenmin nog kon leveren. Billings probeerde het lijk te negeren, maar hij was gefascineerd en kon het toch niet laten.

'Zo ziet een echte dooie eruit, graaf,' zei ik. 'Krijg je daar nu geen kick van? Moet je niet naar het toilet rennen? Wat ben jij een geweldige vampier, zeg. Jij was toch van plan Bela Lugosi gek te maken van angst met je dreigementen?'

'Hoe weet u dat ik dat was?' zei hij met de ogen strak op Vernoff gericht.

'Sam,' zei ik. 'Ik moet je iets ergs vertellen. Jij bent de enige Zwarte Ridder die de zaak serieus neemt. De anderen berijden alleen maar hun stokpaardje. En Bela Lugosi was het jouwe. Ik wil graag weten waarom.'

Billings dwong zijn ogen van Vernoff weg en ijsbeerde door de kamer. Ik volgde hem. Het drong tot me door dat ik deze kamer eerder had gezien. Dat gevoel kreeg ik tenminste.

'Dit is de woonkamer van dr. Seward,' zei hij zacht. 'Zijn spreekkamer is daarnaast.'

Lugosi verscheen in de deur achter Billings. Hij wilde iets zeggen, maar ook zijn ogen hadden de kamer herkend.

'Het is precies als de kamers in *Dracula*,' zei Billings. 'Dat is meer dan zomaar een film voor mij geweest. Het was een mogelijkheid, een mogelijkheid die ik niet kon verloochenen. Begrijpt u het dan niet! Ik kon toch niet toestaan dat Lugosi de echte graaf belachelijk maakte.'

Billings had nog steeds Lugosi niet gezien die bij de deur alles hoorde.

'Weet u,' vervolgde Billings, 'hij is geen echte vampier, maar hij is wel een inspiratiebron geweest voor ons die het wel zijn.'

'Ben jij dan een echte vampier?' vroeg ik.

Billings knikte.

'Slaap jij dan in een doodskist en de hele flauwe kul?' vroeg ik ongelovig.

'Ja,' zei Billings. 'In de kelder.'

'Heb je ooit…' zei ik, 'ik bedoel, bloed?'

'Nog niet,' zei hij ernstig. 'Maar dat komt.'

Lugosi zette een stap in de kamer en Billings draaide zich met een zachte kreet om.

'Luister, meneer Billings,' zei Lugosi vriendelijk. 'U en ik, we zijn geen van beiden echte vampiers. Wij zijn alleen maar mensen met dromen die nooit uitkomen en waarmee we moeten leven.'

'Nee,' zei Billings uitdagend. En zijn daaropvolgende nee was minder tartend en meer een stem tot zichzelf gericht. Toen keek hij naar Vernoffs lijk en viel met gesloten ogen in een stoel.

'De politie kan elk ogenblik arriveren,' zei Lugosi. 'Ik vrees dat uw meneer Vernoff dood is.'

Ik keek ondanks mijn pijn nieuwsgierig naar Lugosi, die omlaag keek naar zijn kostuum en begrijpend glimlachte.

'Vanavond heb ik een voorstelling. Voor het leger. Ik speel een scène uit een film na. Het is niet veel bijzonders, maar hij past aardig bij de film. U had me verteld dat u hiernaar toe zou gaan en u klonk bezorgd. Daarom nam ik een taxi. Ik trof het theater gesloten aan en liep naar het huis. De deur was open en ik hoorde de stemmen van u en meneer Vernoff boven. Ik keek naar boven en zag hem met dat pistool staan. Daarom ging ik de andere kamer in waar ik een deur aantrof die uitkwam op de kamer waarin u was. Ik luisterde en probeerde mijn opkomst zo te timen dat het effect maximaal was.'

'U hebt dus gehoord wat hij gezegd heeft?' vroeg ik.

'Voldoende om te weten dat hij enkele mensen heeft vermoord,' zuchtte Lugosi. 'En deze arme drommel hier' – hij keek naar Billings – 'heeft al die briefjes en die dooie vleermuis gestuurd?'

'Alles behalve dat laatste telefoontje; die bedreiging met de dood was het werk van onze vriend op de vloer. Het heeft me bijna op het verkeerde been gezet.'

'Inderdaad,' zuchtte Lugosi. 'En ik moest als lokaas dienen.'

'In zekere zin,' zei ik en wankelde.

'Neem me niet kwalijk,' zei Lugosi. Hij hielp me op een stoel en pakte een sigaar.

Zwijgend wachtten we de komst van de politie af en keken ondertussen naar het lijk van Vernoff. Lugosi had zijn cape over de rug van zijn stoel gedrapeerd. Hij rookte en wierp af en toe een blik van medelijden en bezorgdheid naar Billings, die Lugosi niet in de ogen durfde te kijken.

Toen Phil gevolgd door Seidman binnenkwam, zagen we er waarschijnlijk als en kwartet lijken uit.

'Wat is hier verdomme gebeurd?' vroeg Phil met die combinatie van verbazing en woede waar hij patent op had. Hij wilde zeggen: wat heeft de Boze nu weer bedacht om mij het leven tot een hel te maken?

'Die vent op de vloer is Vernoff,' zei ik.

De naam kwam hun bekend voor.

'Hij was toch die vent die Faulkner geen alibi kon geven?' vroeg Phil.

'Dat wilde hij niet,' zei ik. 'Hij heeft Shatzkin vermoord plus Newcomb en Haliburton. Hij speelde onder één hoedje met mevrouw Shatzkin. Dat heeft hij mij verteld en ik heb een betrouwbare getuige, meneer Lugosi.'

Lugosi keek op en wuifde ter begroeting met zijn sigaar. Phil wist zich geen raad met die bekende figuur, die als vampier was gekleed. Ik zag ook dat Phil de kamer eerder had gezien, maar hem niet kon plaatsen. Seidman keek alleen maar vermoeid.

'Dit is onze jurisdictie niet,' zei Seidman.

'Het is jullie zaak,' zei ik.

'En wie is dat daar?' vroeg Phil en wees naar Billings.

'Dit is zijn huis,' legde ik uit.

'Wat heeft hij ermee te maken en waarom is hij zo verkleed?' Phil begon langzamerhand te schuimbekken.

'Dat is een lang verhaal,' zei ik en begon te vertellen terwijl Seidman aantekeningen maakte. Ik praatte langzaam, maar dat was niet nodig, want Seidman kende steno. Het langzame praten was voor de rest van ons bedoeld.

Lugosi vulde het verhaal aan en maakte er een zwierige voorstelling van.

We keken nog enige tijd naar het lijk. Ondertussen ging Seidman naar de telefoon en belde mensen op die voor Vernoff en Billings moesten zorgen. Phil keek alsof hij het lijk wilde schoppen en dat had hij misschien gedaan als wij er niet bij waren geweest. Ik was zichtbaar kapot van de klap op mijn rug en mijn knie, plus mijn val van de trap. Lugosi was te oud en te bekend om een pak op zijn lazer te krijgen. Dus bleef Billings over en ik zag Phil al zijn lippen aflikken. Ik zag het verlangen in de ogen van mijn broer opwellen, de wens iets stevigs te slaan, maar Billings was niet zo stevig en Phil liet het verlangen varen.

Toen verscheen Cawelti. Hij zag mij en Phil en aarzelde. Hij keek naar Vernoff en Billings en wist niet wat hij moest doen. Seidman overhandigde hem zijn notitieboekje. Twee agenten in uniform kwamen de kamer in.

'Daar staat alles in,' zei Seidman tegen Cawelti. 'Breng meneer Lugosi waar hij naartoe wil en ruim die troep hier op.'

Cawelti overwoog even een protest of een vraag, maar Phil die nog op zoek was naar een slachtoffer, keek hem strak aan en Cawelti hield zijn kiezen op elkaar.

'Kom mee,' zei Phil tegen mij en hij duwde zich uit de stoel omhoog. Ik ging staan en Lugosi volgde ons voorbeeld. Ik pakte Lugosi's frêle hand en schudde hem.

'Bedankt dat u mijn leven hebt gered,' zei ik.

'U bent bedankt voor een hoogst interessant intermezzo,' zei hij. 'Stuurt u me alstublieft uw rekening.'

'Graag,' zei ik en volgde Phil en Seidman de nacht in. De wolkbreuk was veranderd in een motregen. Ik wist waar we naartoe gingen.

'Kun je rijden?' vroeg Phil.

Ik zei dat ik dat kon, en liep naar mijn eigen wagen. Achter elkaar reden we door Los Angeles. Ik had als gezelschap het radioverslag van een bokswedstrijd, maar het einde kon ik niet meemaken. Het geratel van de verslaggever en zijn valse opwinding in het beschrijven van de klappen was als een vriend die naast je alsmaar door kletst en naar wie je niet luistert, maar wiens gezelschap je toch fijn vindt.

Toen we bij Bel Air aankwamen, probeerde niemand ons tegen te houden. De route naar Chalon was me nu goed bekend en daarom passeerde ik Phil en Seidman en wees de weg.

Het huis van Shatzkin was donker op een lamp boven na.

Phil stond op het punt de deur in elkaar te hengsten, maar ik hield hem tegen. Hij draaide zich om en wilde mijn kop van mijn romp slaan. Gelukkig beheerste hij zich. Ik klopte zacht en toen iets harder. Na een poosje hoorde ik voetstappen binnen op de trap.

'Wie is daar?' zei Camile Shatzkin.

'Jerry,' zei ik.

'Jerry?'

Ze friemelde aan het slot en bleef doorpraten. Haar stem verried een feeksachtige woede waar Jerry Vernoff nooit meer door teleurgesteld kon worden.

'Ik dacht dat we hadden afgesproken dat jij hier niet meer zou komen,' siste ze. 'Wat is er gebeurd? Is Peters…'

De deur vloog open en daar stond dat opgewekte trio Peters, Pevsner en Seidman, een schouwspel die een onschuldige kon laten verstenen, laat staan iemand die zo schuldig was als Camile Shatzkin.

'Wat een verrassing! Ben je niet blij?' vroeg ik.

Ze bezwijmde bijna, maar Seidman deed een stap naar voren om te voorkomen dat ze viel.

'Ik verwachtte een pakje,' zei ze toen ze zich hersteld had.

'Val jij doorgaans flauw als de postbode belt?' vroeg ik.

Phil kneep me hard in mijn arm om me te laten weten dat ik moest ophouden.

In haar glinsterende rode peignoir en met loshangend zwart haar zag Camile Shatzkin er van top tot teen uit als de operaster in haar grote scène.

'Ik heb onder zware spanning geleefd,' zei ze en trok zich los van Seidman.

'Die grote spanning, daar kun je het nog een weekje mee rekken,' zei ik. 'Daarna moet je iets anders verzinnen.'

'Wat doen jullie hier?' wilde ze weten.

'Wilt u ons binnenlaten, of wilt u zich nu aankleden en met ons mee gaan?' vroeg Phil vermoeid.

Camile Shatzkin werd rood van verontwaardiging. We dachten allemaal dat ze zou zeggen 'Hoe durft u!' maar ze stelde ons teleur door van woede door haar neusgaten te snuiven en een stap opzij te doen zodat we naar binnen konden. We waren hier al eerder geweest en niet onder de indruk.

Mevrouw Shatzkin ging op een bank zitten nadat ze enkele lampen had aangedaan en vouwde haar handen in haar schoot. Ze keek me even aan om te zien wat we van plan waren, maar dat antwoord stond niet op mijn gezicht te lezen. Mijn gezicht was een vermoeid vraagteken. En ik was best bereid tot een wedstrijd wie het eerste zijn ogen neersloeg. Ik was in het voordeel. Ze was prettiger voor mij om naar te kijken dan omgekeerd en ik versloeg haar moeiteloos.

'Jerry Vernoff heeft ten overstaan van twee betrouwbare getuigen verklaard dat hij uw echtgenoot, Thayer Newcomb en Haliburton vermoord heeft,' zei Seidman. 'Ook heeft hij verklaard dat u zijn medeplichtige in die moorden bent geweest.'

Ik ging zitten zonder mijn ogen van Camile Shatzkin af te

wenden. Phil keek de kamer rond alsof hij zich verveelde en de rest van de zaak nu alleen maar routine was. Aan Seidmans gezicht en stem viel niets af te lezen. Hij was gewoon bezig met het verschaffen van informatie, waarbij hij enkele feiten achterhield. Zo vertelde hij niet dat Vernoff dood was en nu vermoedelijk in het lijkenhuis lag. Ook vertelde hij haar niet dat ze alleen maar hoefde te zwijgen en dat ze dan rustig kon wegwandelen met haar erfenis. Er waren geen bewijzen tegen haar, alleen de beschuldiging van een dode, nota bene een drievoudige moordenaar.

'Hoe kon hij dat nou zeggen?' zei ze bevend. 'Ik geloof niet… ik denk dat u liegt. Ik zal u moeten vragen om weg te gaan. En dan bel ik mijn advocaat.'

'Ik denk dat we haar maar zullen meenemen naar het bureau,' zei Phil met zijn ogen op een Frans landschap aan de muur gericht.

Camile zei niets.

'Hij is dood,' merkte ik op.

Phils hoofd draaide zich in mijn richting en Seidman schudde zijn hoofd.

Mevrouw Shatzkin keek mij aan, maar er daagde niets. Bijna alle manspersonen in haar leven waren dood. Ik moest wat specifieker zijn.

'Jerry Vernoff,' zei ik. 'Hij is dood. zijn nek is gebroken en hij ligt nu in het lijkenhuis. Nog eentje op het koude marmer en je hebt een basketbalteam aan mannen vermoord.'

'Jerry is…' Ze glimlachte alsof waanzin haar bekroop en toen schudde ze haar hoofd. 'Nee, dit is weer een truc.'

'Geen truc,' zei Seidman die met me meeging omdat er toch niets anders meer opzat. Phil stond naast mij. Ik hoopte maar dat hij me geen dreun op mijn zere rug zou geven. Maar hij voelde aan dat Camile Shatzkin op het punt stond te breken.

'Luister,' zei Phil. 'Waarom al die moeite? We hebben de bekentenis van een stervende plus getuigen. Dat is voldoende om haar te laten hangen. En als ze d'r kop wil houden, laat ze dan maar d'r kop houden.'

Phil was duidelijk verbaal begaafd. We keken allemaal naar

179

Camile de Weduwe om te zien naar welke kant ze zou doorslaan. Als ze Phil zou vertellen dat hij maar op een sidderaal moest kauwen, dat was de zaak nu afgelopen. Als er een klok zou tikken, hadden we hem kunnen horen. Gelukkig rommelde geen enkele maag.

'Ik hield van hem,' zei ze heel rustig.

'Wat?' gromde Phil.

Camile Shatzkin keek hem met van tranen glinsterende ogen aan. 'Ik hield van hem.'

'Jerry Vernoff?' vroeg Seidman.

'Darryl,' zei ze.

'Darryl?' vroeg Phil en hij keek naar Seidman en mij. 'En wie is verdomme die Darryl nu weer?'

'Darryl Haliburton,' zei ze met rode ogen. 'Ik wist niet dat hij van plan was om Darryl te vermoorden. Ik wist niet hoeveel ik van hem hield, hoe hard ik hem nodig had.'

'Volgens Vernoff was het uw idee om uw echtgenoot om te brengen,' zei Seidman.

'Dat was zijn idee,' zei ze en trok een zakdoekje uit haar peignoir. Haar boezem ging snikkend omhoog.

'Wat was jouw bijdrage?' vroeg ik.

Dit was het cruciale ogenblik, maar dat wist ze niet.

'Ik hoefde niets te doen. Ik moest alleen Newcomb binnenlaten, kijken dat hij Jacques doodschoot en ik moest geen poging doen om hem te achtervolgen. Ik hoefde alleen maar te zeggen dat William Faulkner de moordenaar was.'

'Mijn cliënt is dus niet schuldig?' vroeg ik.

Phil knikte.

Seidman ging met mevrouw Shatzkin naar boven om haar kamer te controleren of daar geen wapens of ander vernietigingstuig was. Terwijl ze zich aankleedde, deden Phil en ik net of we elkaar niet zagen.

'Mijn knie wordt beter,' zei ik en ging zitten.

Phil gromde. Dit was onze conversatie voor de nacht.

12

Waarin een vermaarde schrijver huiswaarts keert en zijn privé-detective erachter komt dat financiële zekerheid zelfs in de beste tijden moeilijk bereikbaar is.

Een flink stuk na twee uur in de nacht werd Faulkner vrijgelaten. Het verbaasde me dat ik niet erg slaperig was, hoewel ik wel vermoeid was. Ik had sinds die twee zaken begonnen nogal wat nachtjes doorgewerkt. Faulkner zag er ontspannen uit, hoewel ik achter dat pezige uiterlijk een tomeloze woede vermoedde. Hij kreeg zijn spullen terug en, ere wie ere toekomt, hij kwam niet met de gebruikelijke zin dat hij een aanklacht tegen de politie zou indienen voor een onterechte arrestatie.

'Kan ik u een lift terug naar uw hotel geven?' vroeg ik hem. Ik tastte naar de plek op mijn rug waar Vernoff me met zijn pistool geslagen had.

Faulkner accepteerde mijn aanbod en keek zwijgend uit het raam naar buiten terwijl ik mijn relaas deed. Hij trok aan zijn pijp. 'Het feit dat Vernoff zo'n rancune jegens mij koestert roept het beangstigende spookbeeld op dat er anderen zijn die zonder ons medeweten soortgelijke gedachten hebben,' fluisterde hij.

De meeste vijanden van mij zijn niet zo subtiel, maar ik knikte instemmend. We bleven voor rood staan en keken naar een dronkaard die ontzettend veel moeite had om rechtop in een portiek te blijven staan. Faulkner en ik moedigden hem woordeloos aan en ik vergat gas te geven toen het licht op groen sprong. Een jongen in een auto achter ons begon te toeteren en trok me weer naar wat voor de werkelijkheid doorging.

'Ik heb meneer Leib verteld dat ik hem dat voorschot van u zal terugbetalen,' zei Faulkner. Hij had me nog steeds niet aangekeken. 'Ik zou het zeer op prijs stellen als u mij uw rekening in Oxford doet toekomen. Ik heb geen behoefte om verplichtingen jegens Warner Brothers of meneer Leib te hebben.'

'Mij best,' zei ik.

'Het kan enige weken duren eer ik dat bedrag kan overmaken,' vervolgde Faulkner. Hij kreeg de woorden er slechts met zichtbare tegenzin uit. En hij lachte vreugdeloos. 'Al jaren schrijf ik over eer, waarheid, medelijden, medeleven en het vermogen kommer en kwel en ongerechtigheid te doorstaan en weer te doorstaan, in termen van individuen die dergelijke principes volgen, niet zozeer om beloond te worden dan wel uit de intrinsieke behoefte in vrede met zichzelf te leven, daar waar het lichaam zich niet zomaar terzijde laat schuiven. Romantische deugdzaamheid wordt voortdurend bedreigd door ons animalisme.'

'Dat begrijp ik,' loog ik. 'U blijft dus niet in Los Angeles?' Snel veranderde ik van onderwerp.

'Nee,' zuchtte hij. 'Ik zal onderhandelingen aan mijn agent overlaten. Ik ben zelf in Oxford nodig. Ik ben het districtshoofd van de plaatselijke luchtbeschermingsdienst, hoewel ik geen geloof hecht aan een mogelijke luchtaanval op de negorijen aan de Mississippi. Ik heb daar zelfs een kantoortje boven een supermarkt, waar ik waarnemers kan rekruteren. Mijn dochter Jill doet dat graag. Ze beklaagt er zich altijd over dat ze niet goed weet wat ze moet invullen op formulieren waarin naar het beroep van de vader wordt gevraagd. Ze denkt dat ik niet werk, maar nu kan ze me althans onderbrengen bij de luchtbescherming.'

'Het is me wat,' zei ik en sloeg de straat naar het Hollywood Hotel in.

Faulkner stak zijn hand uit toen we voor het hotel stil stonden. Ik was in geen jaren in het Hollywood geweest en had niet beseft hoe snel het een gothische ruïne was geworden.

'Zo u ooit in Mississippi komt, meneer Peters, dan zou het me zeer aangenaam zijn als u mij en mijn gezin in Oxford eens opzoekt. Met een paar vrienden kunnen we dan op jacht gaan. We kunnen ook overnachten in het bos rond het meer, genietend van Brunswick stew weggespoeld met flink wat bourbon en dat alles onder het pokeren.'

'Ik zou het voor geen geld willen missen,' grinnikte ik.

Faulkner stapte snel uit en beende zonder omkijken het hotel in. Zijn grijze kolbertje was danig gekreukt en hij zag er broos uit toen hij zo liep, maar zijn rug was recht en van een waardigheid waar ik niet aan kon tippen.

De tijd had nu geen betekenis meer. Ik zette de radio aan en kreeg te horen dat een invasie in Californië volgens een Japanse generaal eenvoudig was. Ook vernam ik dat Pat Kelly onbeslist tegen zwaargewichtkampioen Jim Londos had gebokst. Terwijl Jean Sablon *I Was Only Passing By* zong, liep ik een eettent binnen die de hele nacht open was. Het was maar klein, in dat overgangsgebied van Sunset tussen klasse en arbeidersklasse. Altijd zat daar wel een groepje kerels die er als vrachtwagenchauffeur uitzagen. Ze zaten aan de bar, dronken hun koffie en losten en passant de problemen van de wereld op. Nooit had ik hier vrachtwagens gezien, dus ik wist niet echt wat die kerels deden. Wie weet waren het filmproducers die incognito op zoek waren naar nieuw talent. Maar ik wilde niet ontdekt worden en trok niet eens mijn beste glimlach toen ik me op een roodlederen kruk voor de bar nestelde.

'Wat zal het zijn?' zei de man achter de bar terwijl hij broodkruimels voor mij wegveegde. Hij was bedekt met haar op armen en nek en zag eruit alsof hij onbeslist met Londos kon halen. Ik vroeg me af of Jeremy Butler ooit met Londos of Pat Kelly had geworsteld.

Ik bestelde een kaasomelet, nog zacht van binnen, een kom cornflakes en koffie. In een hoekje begon een grapjas van drie ton heibel te schoppen, maar het interesseerde me niet. De omelet was goed, de cornflakes knapperig en de koffie sterk. Ik begon langzamerhand weer te geloven dat ik als mens functioneerde. Ik overwoog even bij het ziekenhuis aan te gaan voor een röntgenfoto van mijn rug, voor het geval er iets gebroken was, maar zonder de aanwezigheid van die jonge dokter Parry had die plek geen uitdaging voor mij. Ik kwam voor het ochtendkrieken thuis en vond een parkeerplekje vlak voor mijn pension. Niemand viel me lastig toen ik naar binnen ging. Niemand bevond zich in mijn kamer toen ik het licht aandeed en de deur afgrendelde met het haakje dat door mevrouw Plaut was verschaft. Mijn eenjarig nichtje Lucy had zonder mankeren die versperring kunnen nemen.

Mijn pak ging op een stoel en ik zag toen een flinke stapel met de hand beschreven papier op tafel. Het leken wel een paar duizend pagina's. Misschien was het wel een formulier dat ik moest invullen om teruggave van de belasting te krijgen. Het bleek mevrouw Plauts manuscript te zijn.

Ik keek naar de eerste pagina van hoofdstuk 14. *Wat kon Seymour doen?* luidde de eerste zin. *De Indiaan had de pianola vernietigd en wendde zich toen tot hem en zijn Zuster. Met zijn wapen ontdeed hij zich van zijn vijand.* Ze vermeldde niet wat het wapen was. Ik kon Faulkner natuurlijk die stapel sturen met het verzoek om een reactie, in plaats van de rekening, maar ik besloot het maar niet te doen. Een eenvoudige rekening was minder wreed.

Mijn slaap was de slaap van de zelfvoldanen en werklozen. Over een paar uur moest ik opstaan, naar mijn kantoor gaan, de rekeningen uitschrijven en maar hopen dat er een nieuwe klus was. Ik had geen dromen van vampiervrouwen, spookhuizen, het Oude Zuiden of Cincinnati. Er was alleen maar slaap.

Toen ik ontwaakte liet mijn horloge me weten dat het twee uur was, maar ik wist niet welke twee uur. Volgens de notehouten klok was het drie uur en de zon zei dat het overdag was. Gezien de aard van mijn werk leek het me redelijk om geld in een nieuw horloge te investeren. Slavick Jewelry Company in Seventh had een Elgin achttiensteens voor $ 33,75. Ik kon het in een jaar afbetalen, maar ik wist dat dit een verloochening betekende van het cadeau van mijn ouwe heer.

Gunther was niet thuis. Ik legde een briefje op zijn bureau dat de wereld weer pico bello was mede gezien zijn ontdekking van het liefdesnest op Culver City. Toen nam ik een koffie, at bij een tent een paar chili-broodjes en begaf me op weg naar mijn kantoor.

Jeremy Butler escorteerde een dronkelap uit de voordeur van het Farraday-gebouw toen ik daar aankwam. Het gebouw was een mekka voor de ongewassenen van de buurt.

Soms leek het of dronkelappen zichzelf voortplantten. Jeremy hield de man zacht bij een arm vast en het magere ventje vatte dit filosofisch op.

'Het is afgelopen,' zei ik. 'Lugosi is uit de problemen.'

'Mooi. Ik heb een serie gedichten gemaakt die betrekking hebben op vampirisme,' zei Butler. De dronkelap keek geïnteresseerd.

'Ik wil ze graag lezen als ze klaar zijn,' loog ik.

Jeremy knikte en droeg zijn bundeltje de deur uit.

Shelly zat in zijn behandelstoel te lezen toe ik binnenkwam. Hij had geen klant en hield zich met een vakblad bezig.

'Weet je, Toby,' zei hij en duwde zijn bril op zijn neus. 'Ik kan maar niet besluiten aan wie ik mijn artikel zal sturen, een vakblad of naar Collier's.'

'Ik geloof niet dat het iets voor Collier's is,' zei ik en wilde naar mijn kantoor doorlopen.

'Maar ze betalen tenminste,' zei hij op redelijke toon. 'Tijdschriften voor tandartswachtkamers leveren geen rooie cent op.'

'Ik dacht dat het jou om prestige te doen was,' zei ik.

Shelly trok zijn schouders op, veegde zijn klamme voorhoofd met zijn bevuilde witte mouw af en zei: 'Misschien krijg ik alle twee.'

'Wie weet,' zei ik en deed mijn deur open, 'maar je zult het moeten doen met wat je nu hebt. Ik geloof niet dat Sam Billings hier nog zal verschijnen. En er is gerede kans dat hij die vampiertanden eraan heeft gegeven.'

'Ik dacht dat ik hem overtuigd had,' zei Shelly en hij stak een nieuwe sigaar op.

'Jij kunt zeer overtuigend zijn, Shel,' zei ik en stond op het punt me in te sluiten in die doodskist met raam die als mijn kantoor diende.

'Wacht even,' riep hij en sloeg een paar pagina's over, 'er is voor jou gebeld.'

'Wie?'

'Weet ik niet,' zei hij. 'Ik heb het niet aangenomen. Jeremy heeft het op een van je enveloppen geschreven.'

Toen ik mijn post doorkeek, vond ik geen boodschap en ik

had geen zin om de post te openen. Het leek me een stapel rekeningen zonder kans op werk. Een van de rekeningen was van dr. Hodgdon voor verrichtingen aan mijn been.

Eigenlijk had ik nu mijn rekeningen moeten uitschrijven maar dat vervulde me niet met enthousiasme. Faulkner had geen geld en Lugosi stond net op het punt uit de steun te komen. Ik schreef hun allebei een keurig briefje waarin stond dat mijn uitgaven te verwaarlozen waren geweest en dat ze mij drie dagen honorarium schuldig waren, aangezien ze me een voorschot voor twee dagen hadden gegeven. Beide voorschotten waren al praktisch op. Ik schreef een rekening voor Faulkner uit van $ 100 en sloeg Lugosi voor $ 30 aan. Zeer waarschijnlijk zou ik over een paar weekjes langs de deur moeten leuren. Misschien zou ik wel voor een hoteldetective moeten invallen.

Ik stopte mijn post in mijn jaszak net toen ik de deur van de wachtkamer hoorde opengaan. Toen ik het licht had uitgedaan en de deur geopend, zat mevrouw Lee al in de stoel.

'Ken je mevrouw Lee nog?' vroeg Shelly mij.

Haar ogen hadden moeite om zich scherp in te stellen. Ze hield een gebreid beursje als een teddybeer tegen haar vele boezems.

'Vandaag hebben we iets bijzonders voor onze lievelingspatiënt voorbereid,' zei Shelly met zijn meest neppe doktersstem. Hij tikte de vette dame op de wang en zocht tussen de kranten op zijn werkplateau.

'Vandaag,' vervolgde hij, 'gaan wij iets aan de bicuspidati van mevrouw Lee doen, een behandeling die de voorpagina's zou halen, ware het niet dat we in een toestand van oorlog zijn. Is dat goed, mevrouw Lee?'

Ze knikte naar diverse richtingen tegelijk.

'Goedemiddag, Shel,' zei ik. 'Tot ziens, mevrouw Lee.'

Ze oefende weer haar kreungeluiden toen ik de buitendeur sloot en de hal inliep. Mijn rug deed pijn, maar deze herkende ik, deze zou uiteindelijk verdwijnen. Mijn knie klampte zich vast aan een schim van wat hij me had aangedaan en de pijn in mijn hoofd van Newcombs aanval op mij op het parkeerterrein van het Chinese restaurant was slechts een on-

vindbaar deel van de knarsende nachtmerrie van mijn schedel. Ik was in een prima stemming.

Beneden in de lobby bekoelde mijn stemming. Een gedaante die ik kende, bestudeerde de naambordjes en dat was heel
moeilijk aangezien alle lampen uit waren en hij met een
straaltje zonneschijn genoegen moest nemen.

'Ik zal je de moeite besparen,' zei ik. Diender Cawelti keek
me aan en we luisterden allebei naar de echo van mijn voetstappen op de tegels.

Hij deed een stap naar achteren met zijn handen in zijn zak
en een grijns op zijn gezicht. Hij probeerde de vernedering
uit te wissen die hem was aangedaan toen ik er getuige van
was geweest dat Phil hem bijna had gewurgd. Dat kon ik van
zijn gezicht aflezen. Hij had lessen in het aanvaarden van
een vernedering kunnen nemen van Faulkner en Lugosi,
maar ik had het gevoel dat hij van mij weinig zou accepte-
ren.

Ik liep vlak langs hem heen en schond zijn territorium zover
als ik kon, zonder zijn haarwater te hoeven ruiken.

'Gaan we het uitschieten in de hal?' vroeg ik.

Hij snoof minachtend, op het punt te ontploffen.

'Denk maar niet, Peters, dat je zo van me af bent,' zei hij
tussen opeengeklemde tanden door. 'Broer of geen broer, ik
neem je te grazen. Je hebt een slechte vijand van me gemaakt.'

'Zijn er dan ook goede?' vroeg ik.

'Wacht maar, wacht maar,' zei hij en stak zijn vinger tegen
mijn borst, 'ik krijg je nog wel.'

'Luister,' zei ik en trok mijn notitieboekje, 'geef me je naam
en adres en ik zet je op de verzendlijst. Daar staan al mijn
vijanden op. Ik geef een krant uit met het laatste nieuws van
verwondingen, privé-leven en dat soort dingen.'

Hij sloeg het notitieboekje uit mijn hand en ik gaf hem zo
hard ik kon een rechtse in de maag. Ik had nog harder kunnen slaan als ik een paar decimeter verder weg had gestaan,
maar deze klap was beslist niet gek. Hij werd tegen de muur
van de lobby geslagen.

Even dacht ik dat hij zijn pistool wilde pakken, maar met de glimlach van een gestoorde kwam hij overeind.

'Aanval op een ambtenaar in functie,' hijgde hij.

Ik keek in een donker hoekje waar mijn notitieblok was en zag het op me af komen in de hand van Jeremy Butler.

'Niemand heeft u geslagen,' zei Butler tegen Cawelti. 'Ik was hier bezig met schoonmaken. U bent gevallen.'

Cawelti's ogen flitsten heen en weer. 'Ik...' zei hij, maar zonder nog een woord te zeggen liep hij naar buiten.

'Hij heeft aanleg voor het spelen van slachtoffer,' zei Butler met de handen op zijn massieve heupen. 'En het ego van een verwend kind. Een kwalijke psychologische combinatie.'

'Hij is politieman,' legde ik uit.

Butler knikte, draaide zich om en verdween in de schaduw van het gebouw om zijn aanval op verrotting en vuil voort te zetten. Ik stapte op mijn beurt de late middagzon in, zag geen Cawelti en reed naar Griffith Park om naar een paar zeelui te kijken die eruitzagen als twaalfjarigen die een kameel pinda's voeren. Een ogenblik overwoog ik in de rij te gaan staan van Tony Zale, Hank Greenberg en Tony Martin en me op te geven bij het leger of de marine, maar ik was al te oud en versleten en het gevoel ging voorbij.

Ik liep een bioscoop in Hollywood binnen waar ze *The Maltese Falcon* draaiden. Die had ik al drie keer gezien. Ik zat hem een vierde keer uit en voelde me een stuk opgeknapt. Toen ik naar buiten liep, was het al bijna donker. Ik snelde naar huis om wat te rusten voor ik Carmen ophaalde.

Parkeren viel niet mee. Iemand had de radio loeihard aanstaan en ik hoorde gelach. Er was een feestje en ik was niet uitgenodigd. Toen ik een plek vond in een steegje waar ik fifty-fifty kans op een bon had, zette ik daar mijn wagen neer. Ik keek omhoog naar het pension van mevrouw Plaut. Het licht op mijn kamer brandde. Het kon Gunther zijn die met een kop thee op mij wachtte, of mevrouw Plaut die dolgraag wilde vernemen wat mijn literaire mening was over haar massieve epos. Het kon de wraakzuchtige Cawelti zijn of mijn ex-vrouw Anne die haar verstandige levenswandel wilde opgeven. Maar ze waren het niet. Ik leunde tegen mijn bespikkelde bumper en keek naar het raam. Een figuur liep heen en weer. Even bleef de gedaante voor het raam staan. Onze ogen ontmoetten elkaar. Het was Bedelia Sue Frye in haar vampierkostuum.

Ik overwoog de mogelijkheden, woog beloning tegen pijn af en zwaaide naar haar voor ik weer in mijn wagen stapte. Ze keek toe terwijl ik wegreed. Ik kan nogal wat verdragen, maar de donkere zijde van Bedelia Sue Frye was iets waar ik totaal geen behoefte aan had.

Het zou niet de eerste nacht zijn die ik in Shelly's tandartsstoel had doorgebracht en vermoedelijk ook niet de laatste. Als ik hem voorbij dat verroeste punt omlaag kon krikken, was hij vrijwel horizontaal. Natuurlijk bestond er ook nog de kans dat Carmen me bij haar zou laten blijven, maar dat was nog nooit gebeurd en ik rekende er niet op. Ik trok mijn jasje uit, poetste mijn tanden met de reserveborstel in mijn la, schoor me en besloot de volgende dag met de Bedelia van het licht tot een akkoord te komen.

De enveloppen tuimelden uit mijn zak en ik raapte ze op. De omslag van een envelop viel open en daar zag ik een aantekening in Jeremy's fraaie handschrift. Ik krabde over mijn gladde gezicht, geeuwde zo hard dat Hoover Avenue trilde en las de boodschap. Die bestond uit een telefoonnummer en het volgende: *Bel Gary Cooper. Dringend.*

Ik stopte de envelop terug in mijn colbert, kroop in de tandartsstoel, plaatste mijn rug zodanig dat ik niet op de zere plek zou liggen en viel in slaap op het wiegelied van verkeer, veldslagen en dode dromen die over Hoover Avenue aan kwamen zweven, dwars door muren gingen en me met een bekende deken omhulden.

Stuart Kaminsky

MOORD OP DE WEG NAAR OZ

ISBN 90 449 2216 5

Plaats: Hollywood.
Tijd: 1940, 1 november.
Opdrachtgever: Lewis B. Meyer.
Set: The wizzard of Oz.
Opdracht: Judy Garland en MGM (Metro Goldwin Meyer) buiten het schandaal houden: tijdens de opnamen van The wizzard of Oz is een van de spelers vermoord. De kleine acteur, met zijn gekke soldatenkostuum, een gele jas en een rare geelblauwe hoed, lag roerloos op de weg naar Oz. Zijn wijdopen ogen staarden in het verblindende licht van de spots.
Iemand had de Munchkin vermoord.
Judy Garlands leven wordt bedreigd. Met behulp van Judy, Clark Gable en Raymond Chandler lost hard boiled detective Toby Peters, met gevaar voor eigen leven, deze zaak op.

Lees ook van AWB:

Stuart Kaminsky

KLOKSLAG MIDDER- NACHT

ISBN 90 449 2257 2

Wie anders dan Toby Peters moet met een tandarts
wedijveren om zijn meest opwindende zaak tot een
goed einde te brengen? Wie anders vindt bij
thuiskomst een zeer dode man om vervolgens
doodgemoedereerd een bordje cornflakes te gaan
zitten eten?
Wie anders wordt door niemand minder dan Gary
Cooper ingehuurd om een geval van chantage te
onderzoeken, maar raakt uiteindelijk betrokken bij
moord? Toby wordt ook op z'n huid gezeten door
de gangster Lombardi, door zijn rechterhand
Marco (die blijft proberen zijn woordenschat te
verrijken), door zijn broer luitenant Pevsner (die
bezig is gek te worden) en door zijn hospita
mevrouw Plaut (die bezig is doof te worden).
Kortom, Toby mag van geluk spreken als hij het er
levend afbrengt.